철학 논술
자기주도학습

아비투어

철학 논술 자기주도학습 1

ⓒ 육혜원, 김광식, 박민수, 최지윤, 유성선, 박민수

2판 3쇄 발행일 | 2020년 11월 3일

지은이 | 육혜원, 김광식, 박민수, 최지윤, 유성선, 박민수
펴낸이 | 정은영
펴낸곳 | (주)자음과모음

출판등록 | 2001년 11월 28일 제2001-000259호
주   소 | 04047 서울시 마포구 양화로6길 49
전   화 | 편집부 (02)324-2347, 경영지원부 (02)325-6047
팩   스 | 편집부 (02)324-2348, 경영지원부 (02)2648-1311
e-mail | jamoteen@jamobook.com

ISBN | 978-89-544-3763-9 (03100)

• 잘못된 책은 교환해 드립니다.

아비투어

철학 논술
자기주도학습

철학자가 들려주는 철학이야기 001~010

1

|주|자음과모음

차례

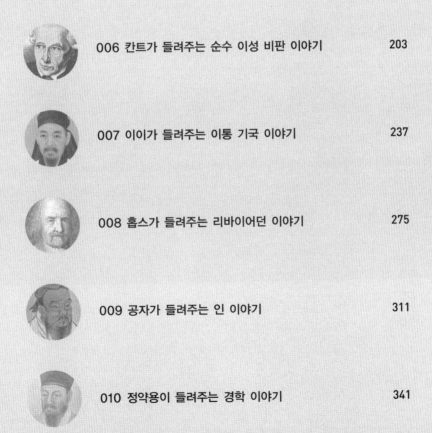

Abitur

철학자가 들려주는 철학이야기 001

플라톤이 들려주는 이데아 이야기

저자_육혜원

이화여자대학교를 졸업하고, 독일 베를린 자유대학에서 석사 및 박사 학위를 받았다.

플라톤의 정치 철학을 주제로 한 박사 논문을 썼고 현재 고대 정치사상에 관해 대학에서 강의 및 연구 활동을 하고 있다.

플라톤

Platon

다음 글을 읽고 플라톤이 누구인지 요약하시오.

플라톤(Platon: BC 428?~BC 347?)은 기원전 428년경에 그리스의 아테네에서 태어났다. 플라톤의 아버지는 유명한 귀족이었고, 어머니는 정치가 솔론의 후손이었다. 플라톤은 대대로 많은 정치가를 배출한 집안 분위기의 영향을 받아, 성장하면서 정치가가 되고자 했다. 플라톤이 성장할 때는 아테네에서 전쟁도 있었고 정치도 혼란스러웠다. 민주주의 정치가 펼쳐졌으나 안정되지 않았고 돈이나 힘이 있는 사람들이 나서서 시민을 선동해 불법적으로 권력을 빼앗는 일도 자주 있었다.

플라톤은 20세가 되었을 때, 소크라테스를 만나 철학자의 길로 들어섰다. 하지만 스승 소크라테스는 기원전 399년에 '아테네의 젊은이들을 타락시키고, 나라에서 인정하지 않는 새로운 신을 믿었다'는 이유로 고발당해 사형선고를 받았다. 당시 20대 후반이었던 플라톤에게, 스승 소크라테스의 죽음은 커다란 충격이었다. 플라톤은 정치에 실망한 후 한동안 아테네를 떠나 있기도 했다. 여러 나라를 돌아다니며 경험도 쌓고 학자들과 교류하며 지식을 넓힌 플라톤은 아테네로 돌아와 아카데미라는 학교를 세워 철학을 가르쳤다. 그의 가르침은 오늘날까지도 큰 영향을 주고 있다. 플라톤이 남긴 책은 주로 소크라테스를 중심인물로 하는 대화 형식을 띠고 있다. 그는 특히 《국가》에서 자신의 철학을 체계화시켜 서양철학의 기초를 세웠다. 이 책에서 플라톤은 철학을 공부한 철인 왕이 국가를 다스려야 한다고 말하기도 했다. 플라톤이 세운 아카데미는 아리스토텔레스와 같은 유명한 철학자를 배출하기도 하였다. 플라톤은 기원전 347년에 81세의 나이로 세상을 떠났다.

생각 쓰기

1 소크라테스

소크라테스는 그리스 아테네에서 기원전 469년경에 태어났다. 조각가인 아버지와 산파인 어머니 밑에서 태어난 소크라테스는 작은 키에 주먹코를 가졌으며 얼굴은 아주 못생겼다.

그는 플라톤에게 큰 영향을 준 철학자였다. 하지만 다른 학자들과는 달리 그는 책을 한 권도 남기지 않았다. 그래서 우리는 그의 제자였던 플라톤이 쓴 책을 통해서만 그의 가르침을 알 수 있다.

소크라테스는 기원전 399년에 아테네의 젊은이들을 타락시키고, 나라에서 인정하지 않는 새로운 신을 믿었다는 이유로 고발을 당해 재판에서 사형선고를 받았다.

소크라테스가 감옥에 갇혔을 때 그의 친구들은 소크라테스가 억울한 누명을 쓰고 감옥에 갇혔기 때문에 그를 다른 나라로 탈출시키려고 계획하였다. 소크라테스의 친구 크리톤은 감옥으로 소크라테스를 찾아가, 그대로 있으면 사형을 당할 것이므로 탈출할 것을 권했다. 그러나 소크라테스는 크리톤의 탈출 권유를 거절하였다.

그는 자신에게 사형을 선고한 국가의 법이 정당하지는 않지만, 그렇다고 그 법을 어기고 도망간다는 것은 정의롭지 못하다고 주장하며 독배를 마시고 죽었다.

— 초등학교 교과서 6학년 《도덕》, 교육인적자원부, 50쪽 참고

2 이성

인간은 동물과는 다르게 이성을 가지고 있다. 이성은 참과 거짓, 좋은 것과 나쁜 것을 판단할 수 있는 능력을 말한다.

01강 정의를 찾아라!

먼 옛날 리디아 지방에 기게스의 조상이 있었다. 그는 당시 리디아의 왕을 모시는 양치기였는데, 늘 성실하게 자기 일을 하는 사람이었다.

어느 날 그는 평소처럼 양 떼를 몰고 들판으로 나갔다. 그런데 아침에 출발할 때는 멀쩡하던 하늘이 갑자기 먹구름으로 뒤덮이더니 심한 폭풍과 지진이 그 들판에 들이닥쳤다.

"음메, 음메!"

기게스는 놀란 양 떼를 데리고 이리저리 피하느라 정신이 없었다. 그런데 폭풍과 지진이 그치고 난 뒤 기게스는 들판이 갈라진 자리에 깊은 구멍이 생긴 것을 보았다.

"아니, 이 구멍은 뭐지?"

깜짝 놀란 기게스는 잠시 뒤 호기심을 이기지 못하고 그 구멍 속으로 들어갔다. 컴컴하고 좁은 구멍을 따라 아래로 내려간 기게스는 몸을 구부리고 안을 들여다보았다. 거기에는 조그만 문이 달린 속이 빈 청동 말이 있었다.

'앗, 저건 시…… 시…… 시체 아냐?'

그 청동 말에는 사람 크기보다 더 커 보이는 시체가 있었다. 놀란 가슴을 겨우 진정시키고 시체를 가만히 살펴보던 기게스는 기다란 손가락을 보는 순간 놀라움으로 눈이 동그랗게 커졌다.

시체의 손가락에 커다란 금반지가 끼워져 있었기 때문이다.

(……)

잠시 망설이던 기게스는 시체의 손가락에서 결국 반지를 빼 가지고 지상으로 돌아왔다.

그 일이 있고 얼마 뒤 기게스는 양치기들의 모임에 그 반지를 끼고 참석하였다. 다른 사람들과 함께 앉아 있던 자리에서 그는 반지를 만지작거리다가 우연히 반지의 보석을 물어 올리고 있는 거미발을 자기 쪽으로 향하게 돌렸다. 그 순간 이상한 일이 벌어졌다.

모임에 있던 사람들이 갑자기 모습이 사라진 기게스를 찾느라 소동이 일어났기 때문이다. 자신의 모습이 보이지 않는다는 것을 알게 된 기게스는 놀라서 반지를 다시 만지작거렸다. 그러다가 반지의 거미발이 바깥쪽으로 향하게 되자 그의 모습이 다시 사람들 앞에 보이게 되었다.

'이 반지는 사람을 사라지게 하는 힘을 갖고 있어!'

반지의 숨겨진 힘을 알게 된 기게스는 반지를 이용하여 자신이 왕이 되려는 음모를 꾸몄다. 양 떼를 보고하기 위해 왕궁으로 간 기게스는 왕비를 유혹한 뒤 왕을 죽였다. 그 뒤 기게스는 왕비와 결혼하여 리디아의 새로운 왕이 되었다.

– 《플라톤이 들려주는 이데아 이야기》 중에서

– 관련 기출 문제: [2007] 건국대 입학 수시 논술 고사 제시문

생각 쓰기

〈케팔로스와 폴레마르코스의 주장〉

케팔로스: 그야 나는 돈이 많으니까 가난한 사람들처럼 남을 속이려고 하지 않지. 또 돈을 빌렸다가 못 갚은 채로 죽는 일도 없어. 이렇게 부자들이 가난한 사람들보다 올바르게 사니까 훨씬 즐겁게 살 수 있는 거야. 재산이 있어야 정의롭게 살 수 있단다. 그래서 '정의란 정직하게 빌린 것을 갚는 것' 이란다.

폴레마르코스: 나의 생각은 아버지의 정의에 대한 생각과 조금 달라요. 정의는 정직하게 말하고 빌린 것을 단순히 갚는 것이라기보다는 그것에 걸맞은 대우를 해 주어야 될 것 같아요. 그래서 제가 생각하기에 '정의는 친구에게는 좋은 것으로 갚고, 적에게는 나쁜 것으로 갚아 주는 것' 이라고 생각해요.

〈플라톤의 주장〉

플라톤(케팔로스의 주장에 대한 논박 1): 케팔로스 내 말 좀 들어 보게. 만약 어떤 친구에게 무기를 빌렸는데 정작 되돌려 주려고 갔더니 그 친구가 미쳐 버렸다면, 이 무기를 되돌려 주는 것이 옳겠나? 아니면 돌려주지 않는 것이 옳겠나? 내 생각에 이 경우는 거짓말을 하고 무기를 되돌려 주지 말아야 한다고 보네. 그렇기 때문에 남한테 받은 것을 갚는 것이 항상 정의로운 일이 될 수는 없다네.

플라톤(폴레마르코스의 주장에 대한 논박 2): 그런데 말이야 폴레마르코스, 자네는 어떻게 생각하나? 아무리 적이라지만 다른 사람을 해롭게 하는 것이 올바른 사람이 할 수 있는 행동일까? 예를 들어서 전쟁에서 군의관이 아픈 적군을 만났는데 적군이기 때문에 치료해 주지 않는 것은 의사로서 올바른 행동일까? 의사라면 병든 환자를 고쳐 주는 것이 올바른 행동인데 적이라는 이유로 환자를 내버려 둔다면 결코 정의롭지 못한 것이야. 해를 입히는 것은 상대가 누구든 간에 정의로운 사람이 할 짓이 아니야. 그것은 오히려 불의한 사람이 할 짓이야.

– 《플라톤이 들려주는 이데아 이야기》 중에서

❶ 플라톤은 남으로부터 받은 것을 갚는 것이 항상 정의로운 일이 될 수 없을뿐더러 적이든 친구이든 누구도 해치지 않는 사람이 정의로운 사람이라고 주장했다. 케팔로스와 폴레마르코스는 정의를 어떻게 생각하는가? 다음 빈칸을 채워 보시오.

1) 케팔로스의 정의관

　　정의는 ＿＿＿＿＿＿＿＿＿＿＿＿＿＿＿＿ 갚는 것이다.

2) 폴레마르코스의 정의관

　　정의는 ＿＿＿＿＿＿＿＿＿＿＿＿＿＿＿ 갚아 주는 것이다.

❷　케팔로스와 폴레마르코스는 결국 플라톤의 주장에 동의한다. 동의한

이유가 무엇인지 여러분의 생각을 써 보시오.

　　1) 케팔로스의 동의 이유는?

　　--

　　--

　　--

　　--

　　2) 폴레마르코스의 동의 이유는?

　　--

　　--

　　--

　　--

설록홈: 안녕하세요? 저는 대한민국에서 온 록홈이에요. 정의를 찾아서 철학 여행을 하는 중이에요.

트라시마코스: 오냐, 반갑구나. 옆에서 다 듣고 있었단다. 정의를 찾아서 철학 여행을 왔다니 하는 말이다만, 이 사람들하고 계속 얘기해 봤자 얻는 것이 없을 게야. 이제부터 내가 정의가 무엇인지 명쾌하게 말해 주마. 잘 들어 보거라. 정의란 통치자의 이익이란다. 즉, 강자의 이익이지.(……)

트라시마코스: 만약에 네가 막강한 힘을 가진 왕이 된다면 너에게 해로운 법을 만들겠니, 아니면 이익이 되는 법을 만들겠니?

설록홈: 좀 더 생각해 봐야겠지만 제게 이익이 되는 법을 먼저 만들 것 같은데요?

트라시마코스: 그래, 바로 그거야. 통치자는 자기에게 이익이 되는 법을 만들지. 그리고 지배를 받는 시민들은 그 법을 지켜야 정의로운 거란다. 시민들이 정의롭게 그 법을 지키면 통치자에게 이익이 되겠지?

플라톤: 그럴듯합니다. 그런데 통치자가 실수를 해서 자기에게 이익이 되

지 않는 법을 만들 수도 있겠지요. 이렇게 되면 정의란 결국 통치당하는 사람의 이익이 되지 않습니까? 그런데 트라시마코스 선생은 여전히 진정한 통치자라면 그런 실수조차 하지 않는다고 주장하고 계시니…….

설록홈: 아, 이제 이해가 좀 돼요. 잠깐만요, 그런데 진정한 통치자라면 실수가 아니라 진심으로 시민들의 이익을 생각하는 법을 만들지 않을까요?

트라시마코스: 그것참, 어떻게 내 주장과는 정반대의 결론이 나왔지? 이거 원, 두 사람한테 휘말려서 정신이 없어졌네.(……)

트라시마코스: 록홈이는 아직 어려서 그렇다 치고, 당신은 철학의 대선생이면서 어찌 그리 순진하시오?

플라톤: 아니 그러면 정의롭지 못한 것이 정의로운 것보다 더 높다는 말입니까? 그것참 이상한 말입니다. 바르게 말하자면, 정의로운 것이 훌륭한 것이고 정의롭지 못한 것이 나쁜 것 아닙니까?

트라시마코스: 천만에요, 아닙니다. 저는 정의는 '순진함'이고 정의롭지 못한 것은 '훌륭한 판단'이라고 생각합니다.

설록홈: 앗, 그런 이야기는 처음 들어요. 정의롭지 못한 사람이 훌륭한 사람이라고요?(……)

플라톤: 이제부터 내 말을 잘 들어 보렴. 눈이 훌륭한 상태일 때 눈은 자신

의 기능을 훌륭하게 해낼 수 있어, 그렇지? 모든 것은 훌륭한 상태일 때만 제 기능을 훌륭하게 발휘할 수 있어. 이것을 이제 사람에게 적용해서 생각해 보자. 훌륭한 사람은 훌륭하게 자기의 기능을 다하며 살겠지. 반면 나쁜 사람은 잘살지 못할 거야. 훌륭하게 사는 사람은 훌륭하게 살기 때문에 복을 받고 행복하겠지만 나쁜 사람은 그렇지 못하겠지?

설록홈: 네, 이해가 돼요.

– 《플라톤이 들려주는 이데아 이야기》 중에서

– 관련 기출 문제: [1999] 성균관대 대학 입학 논술 고사 제시문

❶ 위의 제시문에서 트라시마코스가 말하는 정의로운 사람은 누구이며 플라톤이 말하는 정의로운 사람이 누구인지 각각 적어 보시오.

· 트라시마코스의 주장

정의로운 사람은 _____ 이다.

· 플라톤의 주장

정의로운 사람은 _____ 이다.

❷ 위의 제시문에서 플라톤과 트라시마코스가 통치자의 실수에 대하여 각각 어떻게 말하는지 적어 보시오.

· 플라톤의 주장

  통치자의 실수는 ⎯⎯⎯⎯⎯⎯⎯⎯⎯⎯⎯.

· 트라시마코스의 주장

  통치자의 실수는 ⎯⎯⎯⎯⎯⎯⎯⎯⎯⎯⎯.

주 요 개 념 및 배 경 지 식

1 참주

참주는 어리석은 시민을 선동하여 권력을 불법적으로 빼앗아 지배자
가 된 사람을 말한다.

2 논박

잘못된 것을 공격하여 말하는 것을 뜻한다.

3 공정

공정하다는 것은 각자의 능력과 여건에 알맞게 일을 할 수 있도록 모
든 사람에게 골고루 기회를 주는 것이다.

— 초등학교 교과서 《도덕 4-2》, 교육인적자원부, 59쪽 참고

4 아테네

아테네는 도시국가로, 아테네에서 태어난 성인 남성만을 시민으로 여
겼다. 그리고 그러한 시민만 정치에 참여할 수 있었다. 시민들은 전쟁을

할 것인지, 세금을 거둘 것인지 등에 대해 투표로 결정했다. 남성을 제외한 아테네에서 거주하는 여성과 노예는 경제적인 일들을 도맡아 했다. 밭에 나가서 일을 하고 옷을 짓고 집을 지었다. 시민들은 전쟁에 나가거나 정치에 관여하고 생산 활동은 하지 않았다.

5 플라톤의 《국가》

플라톤은 기원전 380년에서 370년 사이에 《국가》를 썼다. 국가는 플라톤이 쓴 책 중에 가장 긴 책이고 그만큼 다루어지는 내용도 풍부하다. 플라톤이 《국가》에서 핵심적으로 다루고자 한 것은 폴리스라는 공동체에서 행복하게 살 수 있는 방법이었다. 당시의 그리스 사람들은 도시국가인 폴리스에서 인간이 자아실현을 할 수 있다고 보았기 때문에 공동체 안에서 각 개인이 자신의 역할을 잘해 낸다면 행복해지지 않을까 생각했다. 이를 구체적으로 말하고 있는 것이 《국가》의 첫 부분에 나오는 '정의'에 관한 이야기이다.

소크라테스는 아테네의 변두리에 있는 항구에서 열리는 축제를 구경하고 다시 아테네로 돌아오면서 케팔로스의 집에 초대된다. 소크라테스는 부유한 노인인 케팔로스에게 처음에는 안부 인사를 하다가, 재산을 가진 것이 정의로운 행동에 도움이 되는지에 관해 대화를 나눈다. 케팔로스는 빚진 것을 갚으려면 재산이 있어야 하고 재산은 정의로운 행동에 도움을 준다고 한다. 케팔로스의 정의에 관한 이야기에 아들 폴레마르코스는 한결음 더 나아간다. 즉, 빌린 것을 갚을 뿐만 아니라 친구에게는 좋은 것으로 적에게는 나쁜 것으로 갚아 주어야 한다는 것이다. 이때 갑자기 이야기에 끼어든 트라시마코스는 정의를 강자의 이익, 즉 통치자의 이익이라고 주장한다.

플라톤은 정의가 이익이라는 점은 동의하지만 정의가 강한 사람의 이익은 될 수 없다고 반박한다. 의사의 기술이 환자에게 이익이 될 때만 정의롭듯이 통치자의 강한 힘도 시민에게 이익이 될 때만 정의롭기 때문이다.

《국가》 1권의 정의 이야기에서 보면 결국 정의는 재산을 가진 자나 강한 사람의 이익이 아니라는 점이다. 우선 재산을 가진 자가 정의로운 자인지 살펴보자. 정의라는 것이 재산을 가져서 빚진 것을 갚을 수 있는 능력을 말한다면, 가난한 사람은 정의로울 수 없다. 부자의 아들로 태어난 사람도 있겠지만, 가난한 사람의 아들로 태어난 사람도 있기 때문이다. 그러므로 재산을 소유한 자는 가난한 자의 입장을 생각해서 정의를 따져 보는 것이 옳다. 하지만 폴레마르코스처럼 친구에게는 좋은 것으로 갚고, 적에게는 나쁜 것으로 갚아서는 안 된다. 어떤 것이 정의로운 행동인지는 '의사의 위로'에서 그 예를(초등학교 교과서 《도덕 5》, 교육인적자원부, 10쪽 참고) 잘 보여 주고 있다.

낫기 어려운 처지의 할머니에게 치료를 받으면 나을 수 있다고 위로한 의사의 행동처럼 우리는 상황에 따라서 남을 배려할 수 있어야 한다. 그래서 오히려 가난한 자가 진정으로 빚진 것을 갚을 수 있도록, 부자에게 복지사회 보장 제도와 같은 장치를 배려해 줄 것을 플라톤은 요청한다.

정의가 강자의 이익인가에 대해 살펴보자. 진정한 정치는 통치자 자신의 이익을 위해 하는 것이 아니다. 진정한 정치라면 시민을 위한 정치여야 한다. 따라서 플라톤의 주장에 따르면 정의는 강자인 통치자의 이익이 아니라 시민의 이익이 우선시 돼야 한다.

《국가》 2권 이후로 넘어가면 정의에 관한 대화는 어느덧 이상 국가를 만드는 계획으로 옮겨 간다. 이상 국가는 개인의 인간성과 같은 모습을 가질 때에 성취된다고 주장한다. 지혜, 용기, 절제, 정의의 4개의 덕은 인간성의 기초일 뿐만 아니라, 이상 국가를 형성하는 기본 덕목이다. 결국 국가의 구성원인 각 개인이 도덕적으로 완전한 인간이 될 때, 그들이 모여 이룬 국가도 이상 국가가 될 수 있다.

– 중학교 교과서 《도덕 2》, 교육인적자원부, 205쪽 참고

02강 우물 안의 개구리

case 1 다음은 플라톤의 《국가》에 나오는 '동굴의 비유'를 떠올리게 하는 글이다. 이는 동굴 속에만 살던 사람처럼 우물 속에만 살던 개구리가 우물 밖의 세상을 알게 되는 모험 이야기를 다루고 있다. '우물 안의 개구리 이야기'를 읽고 자신의 생각을 적어 보시오.

　어느 산골에 작고 깊은 우물이 하나 있었습니다. 이 우물 안에 페페, 필라, 페트라, 푸투라고 하는 개구리 네 마리가 살고 있었습니다. 개구리들은 자기들의 먹이가 여기저기에 널려 있는 우물 안에서 아무런 불만도, 걱정도, 다툼도 없이 아주 행복하게 지냈습니다. 그리고 우물 밑바닥에서 고개를 들고 위를 쳐다보며, 좁고 어두운 우물과 까마득하게 올려다보이는 하늘이 세상의 전부라고 생각하였습니다.

　그러던 어느 날이었습니다. 늘 우물 꼭대기로 작게 보이는 하늘이 궁금하였던 페페는 친구들과 떨어져서 혼자 우물 벽을 기어올랐습니다. 그리고 드디어 우물 꼭대기에 도착했을 때 페페는 깜짝 놀랐습니다. 예전에 보지 못했던 무엇인가를 보았던 것이죠. 그러나 세상이 너무도 밝아서 페페의 눈을 아프게 할 정도였습니다. 그것은 바로 태양이었습니다. 페페는 너무 놀란 나머지 우물 안으로 황급히 들어갔습니다. 그리고는 친구들에게로 되돌아가 소리쳤습니다.

"저 꼭대기에서 아주 크고 눈부신 빛을 보았어!"

필라와 페트라가 놀란 눈으로 다가섰습니다.

"그래. 그 빛나는 것을 보는 순간 나는 겁이 나서 눈을 감고 우물 안으로 뛰어들어 온 거야."

페트라가 말했습니다.

필라도 눈을 치켜뜨고는 손을 내둘렀습니다.

"페페, 그건 아니야. 네가 무얼 잘못 본 거지. 우린 여기서 한평생을 살았어. 여기서 우리는 저 꼭대기의 작고 둥그스름한 푸른 하늘만을 보아 왔어. 저것이 우리 세계의 크기이자 진실이야. 너는 정말로 눈이 멀었구나."

페트라는 흥미가 없다는 듯이 진흙 웅덩이로 뛰어가 버렸고, 필라도 아무 말을 하지 않고 고개를 갸웃거렸습니다.

푸투는 아무 생각도 없다는 듯이 눈만 두리번거렸습니다.

페페는 친구들이 그 크고 환한 빛을 스스로 직접 보기 전에는 자신의 말을 믿지 않을 것이라는 결론에 도달했습니다.

"필라, 너도 내 말을 믿지 못하겠니? 제발 내 말을 믿어 줘. 네가 직접 한번 저 꼭대기 위로 올라가 보지 않을래?"

페페는 계속 졸라 댔습니다.

"필라, 네가 그걸 보고 오면 페트라도 쉽게 내 말을 믿을 거야."

"그래, 좋아."

필라가 대답했습니다.

그날 오후, 필라는 페페가 보았다는 크고 눈부신 빛을 보기 위해 우물 벽을 기어올랐습니다. 필라가 미끄러운 우물 벽을 힘들게 오르는 동안 어느덧 저녁이 되었습니다. 사방은 어두워지고 필라도 지쳐 갔습니다. 몹시 피곤했던 필라는 그 자리에 주저앉은 채 깜박 잠이 들었습니다. 필라가 다시 잠에서 깼을 때는 한밤중이었지만 주위가 훤히 밝아 있었습니다. 필라는 의아해하며 힘껏 솟구쳐 뛰어올라 우물 턱 위로 올라섰습니다. 그러자 부드러우면서도 밝고 둥그런 것이 눈에 들어왔습니다. 필라는 몹시도 혼란스러워졌습니다.

"페페가 말한 것이 저건가? 눈이 멀 정도로 밝은 빛이라는 게. 저 빛은 너무도 부드럽고 곱잖아?"

필라는 달을 지긋이 쳐다보았습니다. 그리고는 둥그런 달빛의 아름다움에 도취되고 말았습니다.

한참 뒤에 필라는 사방을 두리번대다가 조심스럽게 다시 우물 안으로 들어왔습니다. 필라가 돌아오자, 페페와 페트라와 푸투는 걱정스런 눈빛으로 필라에게 달려왔습니다.

"그래, 필라야. 너도 그 환하고 강렬한 빛을 봤지?"

페페가 흥분해서 물어보았습니다.

"아니야. 강렬하다니? 무슨 소리를 하는 거야? 그것은 부드러운 느낌이었어. 난 그 빛에서 눈을 떼지 못했다니까."

"그래? 네가 뭔가 잘못 봤나 보다. 그게 아닌데……."

페페가 필라의 말을 가로막았습니다.

이때 페트라가 끼어들었습니다.

"그만들 해. 너희들이 도대체 무슨 소리를 하는지 모르겠다. 난 누구 이야기를 믿어야 할지 모르겠어."

페페와 필라는 서로 자기 말이 맞다고 야단이었습니다. 둘의 논쟁은 페트라가 질릴 때까지 계속되었습니다. 페트라는 더 이상 참지 못하겠다는 듯이 이렇게 말했습니다.

"내 생각으로는 이 문제를 해결할 수 있는 방법이 하나 있어. 우리 모두 함께 가서 확인해 보는 거. 우리 모두."

페트라의 뜻밖의 제안에 둘은 손뼉을 쳤습니다.

"나는 안 갈래. 너희들이 무얼 보았든지 그게 우리들의 삶과 무슨 상관이니?"

푸투는 이렇게 말하곤 그냥 진흙 웅덩이로 들어가 버렸습니다.

개구리 세 마리는 이른 새벽부터 우물 벽을 기어오르기 시작하였습니다. 세 마리의 개구리들은 서로 힘을 합쳐 목적지에 도달할 수 있었습니다. 때는 저녁 무렵이었습니다. 해가 서쪽 지평선 위로 넘어가면서 하늘이 붉게 빛나고 있었습니다. 개구리들은 이 광경을 조용히 지켜보았습니다. 페페와 필라는 아무도 먼저 말을 꺼내려 하지 않았습니다. 페페는 이것이 자신이 전에 보았던 따가운 빛으로 눈부시게 하던 물체와 똑같은 것이라는 확신을 할 수 없었습니다. 필라 역시 자신이 밤하늘에서 보았던 것보다 이 물체가 확실하게 더 밝다는 것을 알고 있었습니다.

개구리 세 마리는 처음으로 일몰을 보게 되었습니다. 그 광경은 정말로 장관이었습니다. 잠시 후 하늘에 달과 별들이 빛나기 시작했습니다. 개구리들은 밤을 꼬박 새우며 밤하늘을 쳐다보고 있었습니다. 그리고 다시 새벽이 되자, 빛나는 아침 해가 떠올랐습니다. 필라, 페트라, 페페는 실눈을 뜨고 이 빛을 보았고, 점차 빛에 익숙해지게 되었습니다. 개구리들 역시 서서히 발견되는 새로움과 놀라움에 몰입하게 되었습니다.

페트라가 말했습니다.

"봤지? 너희들 둘이 한 말이 모두 맞네. 우리가 서로 도와 여기까지 올라오기를 잘했어. 이렇게 많은 것을 다 보게 되었으니. 푸투도 같이 있었으면 좋았을 텐데."

개구리들은 자신들이 살았던 우물보다 더 넓고 새로운 세계가 무한하게 펼쳐져 있다는 것을 알게 되었습니다.

— 관련 기출 문제: [2005] 서울대학교 논술 고사 제시문

생각 쓰기

동굴의 비유

플라톤이 쓴 《국가》에 나오는 동굴의 비유는 다음과 같이 설명할 수 있다. 깊은 동굴이 있다. 그 동굴 속에는 사람들이 묶인 채, 동굴의 벽만 볼 수 있다. 동굴의 입구에는 불을 피워 놓아 동굴 안에 있는 사람들과 물건들의 그림자가 벽에 아른거린다. 어릴 때부터 동굴 안에 묶인 채로 자랐던 사람도 물건도 제대로 본 적이 없다. 그래서 사람과 물건이 실제로 어떻게 생겼는지 전혀 모른다. 그들은 동굴 벽에 비친 그림자가 실제 모습이라고 생각한다.

그러던 어느 날, 동굴 속에 묶여 지내던 사람들이 동굴 밖으로 풀려나게 된다. 동굴에서 나온 사람들은 빛 때문에 눈이 부셔서 아무것도 볼 수 없다. 그러나 시간이 지나 동굴 밖의 모습을 하나하나 알아보게 된다. 그리고 그들이 지금까지 보았던 그림자와 지금 그들이 보고 있는 실제 물건을 하나하나 비교하게 된다.

이 사람은 동굴에서 본 그림자와 동굴 밖에서 본 실제 모습 중 과연 어떤 것을 진짜라고 생각할까?

플라톤은 빛 아래에서 볼 수 있는 모습을 이데아, 즉 진정한 지식이라고 말한다. 그리고 동굴의 벽에 비친 모습은 우리가 감각을 이용해 알 수 있는 세계의 모습, 즉 현상이라고 한다. 그러므로 진정한 지식은 사물의 진짜 모습인 이데아를 밝혀내지만, 사람의 감각은 겉모습만을 알 수 있을 뿐이라고 플라톤은 말한다.

— 서정욱, 《만화 서양 철학사 II.》, 165~168쪽 참고

아비투어
철학 논술

예시 답안

① 플라톤은 아테네 귀족 집안에서 태어났다.

② 플라톤은 소크라테스의 제자이다.

③ 플라톤은 정치가가 되고자 했지만 스승 소크라테스의 죽음으로 인해 정치에 크게
실망하고 정치가의 길을 포기한다.

④ 플라톤은 최초로 학교를 세운 사람이며 그 학교의 이름은 '아카데미' 이다.

⑤ 플라톤의 사상은 서양철학의 기초가 되었다.

⑥ 플라톤은 《국가》라는 책에서 철학을 공부한 철인 왕이 국가를 다스려야 한다고 말
하기도 했다.

주 제 탐 구 **01**강 정의를 찾아라!

case 1 플라톤의 《국가》에 나오는 '기게스의 반지'는 선량하고 충실한 목동이었
던 기게스가 '반지' 때문에 악인으로 된다는 이야기이다. 기게스는 마술
반지의 힘으로 왕을 죽이고 리디아의 새로운 왕이 되었다. 기게스와는 반대로 영화
〈반지의 제왕〉에서 프로도는 욕심을 내지 않고 반지를 영원히 파괴하려 한다. 만일 프
로도와 그를 돕는 용감한 친구들인 반지 원정대가 없었다면 세계는 인류를 손아귀에
넣으려는 사악한 사우론의 손에 넘어갔을 것이다.

반지를 끼는 순간 세상의 좋은 것들을 다 가질 수 있다면, 과연 우리가 프로도처럼

'정의로움'을 지킬 수 있을까? 아니면 우리도 기게스처럼 나쁜 짓을 하게 될까? 만약 반지를 이용하여 투명 인간이 된다면 우리도 아무 거리낌 없이 마음대로 행동할지도 모른다. 반 친구들 모르게 우유 곽이나 휴지를 슬쩍 떨어뜨릴 수도 있고 어머니 몰래 오락실에 갈 수도 있는 등 정직하지 못한 행동을 할 수 있다. 그만큼 우리는 유혹을 받기는 쉽고 착한 행동을 하기는 어렵다. 그렇기 때문에 사회질서 유지를 위해서는 정의로운 법이 필요하다. 물론 법이 없어도 질서 유지를 위해 각자가 정의롭게 살아가는 자세도 필요하다.

case 2 ① 케팔로스의 정의는 정직하게 빌린 것을 갚는 것이다. 반면 폴레마르코스의 정의는 친구에게는 좋은 것으로 갚고, 적에게는 나쁜 것으로 갚아 주는 것이다.

② 케팔로스의 동의 이유: 미친 자의 비유에서 나타나듯이 빌렸다가 되돌려 줄 때의 상황이 변할 수 있음을 케팔로스는 알지 못했다. 또한 케팔로스는 미친 자에게 무기를 다시 되돌려 줄 수 없기 때문에, 우리가 선의의 거짓말을 할 수도 있음을 생각하지 못했다.

케팔로스 할아버지는 무기를 팔아서 부자가 된 사람이다. 그는 '돈을 빌렸다가 못 갚는 가난한 사람은 되지 말아야지'라고 생각하면서 항상 열심히 일했다. 그래서 그는 아버지로부터 받은 재산을 세 배, 네 배로 늘렸다. 이렇게 부자가 된 그는 '빌린 돈을 되돌려 준다'는 것을 어긴 적이 없었다. 그는 '부자만이 정의로울 수 있다'고 떳떳하게 이야기한다. 케팔로스는 가진 자들끼리만 어울려 사는 사회를 꿈꾸었다. 그런데 플라톤은 상황이 변할 수 있음을 이야기한다.

케팔로스는 아테네 귀족이나 시민계급들만을 생각할 뿐, 노예나 가진 것이 없는 사람들은 배려하지 않고 있다. 플라톤은 교양이 없고 자기 이익만 생각하는 시민들이 모인 국가에서 과연 케팔로스가 생각하는 '정의로운' 국가가 가능할지에 대해 의문을 가졌다. 플라톤은 가진 자들끼리만 어울려 사는 사회에서 빌린 것을 정직하게 갚는 일은 불가능하다고 보았기 때문이다. 플라톤의 생각에는 여성과 노예를 지배해서 얻은 시민의 자유는 미친 자가 가진 무기와도 같았다. 케팔로스는 플라톤이 이야기하는 미친 자의 비유를 듣고서 자신들은 일을 하지 않고 노예들을 부려 가며 살아가는 사람들은 약자들의 고통을 알지 못함을 인정할 것이다.

폴레마르코스의 동의 이유: 폴레마르코스는 정의로운 사람이라면 상대가 누구든지 간에 해롭게 해서는 안 된다는 것을 알지 못했다.

이번에는 폴레마르코스가 궁지에 몰린 아버지를 돕기 위해 나선다. 그는 플라톤에 대항해서 모든 사람들을 친구와 적으로 나눈다. 폴레마르코스는 사람들을 한편으로는 시민, 다른 한편으로는 노예와 여자, 또 부자들과 가난한 자들로 나눈다. 그러나 플라톤은 의사의 비유를 이야기하면서 폴레마르코스의 주장에 반대한다. 의사라면 좋은 친구이든 나쁜 적이든 병이 들었을 때 모두 고쳐 주어야 한다는 것이다. 플라톤에 따르면 함께하는 사회는 가난한 자와 부자와의 투쟁 관계가 아니라 가난한 자와 부자 모두 참된 의사의 마음으로 서로 위해 주는 사회다. 폴레마르코스가 플라톤의 주장을 받아들인다면 자신의 말이 틀렸음을 인정할 것이다. 정의로운 사람이라면 의사처럼 누구도 해치지 않아야 한다는 점을 알아야 한다.

case 3 ① 트라시마코스가 주장하는 정의로운 사람은 강자인 통치자이며, 자신의 이익만 추구하는 사람이다. 플라톤이 주장하는 정의로운 사람은 각자 자기에게 알맞는 기능을 다하는 사람이다.

② 플라톤의 주장에 따르면, 통치자가 실수하여 자기에게는 이익이 되지 않고 시민에게만 이익이 되는 법을 만들 수 있다. 반면 트라시마코스의 주장에 따르면 통치자는 실수를 할 수 없다. 엄밀한 의미에서 진정한 통치자라면 실수하지 않는다고 한다. 실수를 했다면 그는 더 이상 통치자일 수 없다는 것이다.

그럼, 플라톤이 말하는 정의로운 사람은 누구일까?

플라톤은 정의란 모든 사람이 각자 자기에게 알맞은 일을 훌륭하게 하는 것이라고 말한다. 플라톤의 생각에 따르면, 정치가뿐만 아니라 의사, 학생, 상인, 군인, 농부, 어부 등 각자의 위치에서 자신의 기능을 잘 발휘하는 사람이 정의로운 사람이라고 말한다.

주 제 탐 구 **02강** 우물 안의 개구리

case 1 '우물 안의 개구리' 이야기는 우물 안에서만 살았던 개구리들이 우물 밖으로 나오면서 세상이 자신이 알고 있던 것과 많이 다르다는 것을 깨닫게 되는 이야기이다. 그동안 우물 밑에서만 보았던 하늘이 전부인 줄 알았지만, 세상은 알고 있던 것보다 훨씬 더 넓고 복잡한 곳이었다.

　우리가 눈으로 보고 손으로 만져보고 코로 냄새를 맡아 알게 되는 것은 단지 우리의 감각을 통해 알 수 있는 것일 뿐이다. 그것이 실제로 우리가 생각하는 것과 같은지는 인간인 우리로서는 알 수 없다. 결국 인간인 우리는 자신이 직접 경험한 것을 믿으려고 하지만 우리가 경험을 통해 알게 된 내용이 실제 사실과 동일하지 않을 수도 있다.

　마찬가지로 플라톤은 '동굴의 비유'를 예로 들면서, 우리가 바라보고 있는 것이 진짜가 아니라고 주장한다. 동굴에 비친 그림자를 보고, 그 그림자를 원래 사물로 착각하는 것처럼 사람들은 자기 눈에 보이는 것이 진실인 양 착각하며 사는 경우가 많다는 것을 우리는 '우물 안의 개구리 이야기'와 '동굴의 비유'를 통해 알 수 있다.

　하지만 또 다른 시각으로 '우물 안의 개구리' 이야기를 생각해 볼 수 있다.

　'우물 안의 개구리' 이야기는 얼마 전에 상영된 영화 '마다가스카'에서 나오는 뉴욕 센트럴 파크 동물원의 최고 인기 스타인 사자 알렉스, 얼룩말 마티, 기린 멜먼, 하마 글로리아의 모험 이야기와 비슷하다. 인간들의 보살핌에 익숙한 온실 속 동물들은 어느 날, 우연찮은 사고로 동물원을 떠나 미지의 정글섬 마다가스카로 보내지게 되고 그곳에서 까맣게 잊어버렸던 자연의 세계를 보게 된다.

　영화에서 마티의 갑작스런 동물원 탈출 때문에 모든 친구들이 함께 탈출하게 되듯이, 이 글에서도 페페의 호기심으로 행복했던 우물 속의 세계를 의심하며 탈출한다. 그 때문에 필라와 페트라도 우물을 탈출해서 우물 밖의 넓은 세계를 보게 된다.

　이들이 본 세계는 시간이 지나면서 부분에서 전체로 확대되고 있다. 페페와 필라가 본 것은 각각 자연의 낮과 밤의 세계였다. 그러나 이들이 다시 우물 안으로 돌아온 후에 페트라도 모험에 합류하게 되면서, 셋이서 본 우물 밖 세상은 그야말로 새벽부터 밤까지 부분이 아닌 하루 전체를 보게 된 것이다. 페페와 필라가 하루 중 한 부분들만 보고 왔을 때는 각자가 경험한 것만 주장하였지만, 모두 함께 하루 전체를 보게 되면서 모든 것을 이해하게 되었다. 이제 이들은 더 이상 다툼도 없고 오로지 남겨진 친구 푸투에게 이 사실을 알려 주고 싶었다.

만약 푸투처럼 우리가 모험심 없이 세상을 살아간다면, 넓고 넓은 세상을 이해하지 못할 것이다. 철학자 플라톤의 '동굴의 비유' 나 '우물 안의 개구리' 이야기가 주는 교훈을 통해서 세상을 넓게 이해하며 살아가는 법을 배워 보자.

철학자가 들려주는 철학이야기 002

아리스토텔레스가 들려주는 행복 이야기

저자_육혜원

이화여자대학교를 졸업하고, 독일 베를린 자유대학에서 석사 및 박사 학위를 받았다.

플라톤의 정치 철학을 주제로 한 박사 논문을 썼고 현재 고대 정치사상에 관해 대학에서 강의 및 연구 활동을 하고 있다.

아리스토텔레스

Aristoteles

다음은 아리스토텔레스에 관한 글이다. 아리스토텔레스는 어떤 사람이며, 어떠한 업적을 남겼는지 요약하시오.

아리스토텔레스는 기원전 384년 그리스의 스타게이로스에서 태어났다. 그의 아버지는 의사였고, 어려서부터 수준 높은 교육을 받았다. 그는 기원전 367년에 아테네로 가서 플라톤이 세운 학교 아카데미에 입학해 대략 20년 동안 플라톤의 지도를 받으며 학문에 몰두했다. 기원전 347년에 플라톤이 죽자 아리스토텔레스는 아카데미를 떠나 아소스에 아카데미의 분교를 세워 학문을 연구하고 제자들을 가르쳤다. 아리스토텔레스는 기원전 342년경부터 마케도니아의 왕자 알렉산드로스를 교육시키다 알렉산드로스가 왕이 되어 아시아 원정을 준비할 무렵인 기원전 335년에 아테네로 돌아와 리케이온이라는 학교를 세웠다. 이 학교에서는 선생과 학생이 공동체를 이루며 함께 교육하고 연구 활동을 했다. 기원전 323년에 알렉산드로스 대왕이 죽자 아테네 사람들은 알렉산드로스 대왕과 그 편에 섰던 사람들을 비난했다. 그리고 아리스토텔레스는 대왕과 긴밀한 관계였다는 죄목으로 고발당했다. 아테네 사람들은 그를 재판해 소크라테스처럼 사형시켜야 한다고 했다. 그러자 독배를 마시고 순순히 죽었던 소크라테스와 달리 아리스토텔레스는 아테네인들이 철학에 두 번째로 죄를 짓지 않게 하기 위해 아테네를 떠났다고 한다. 아리스토텔레스는 기원전 322년에 61세의 나이로 세상을 떠났다. 철학뿐만 아니라 정치학, 수사학, 예술 이론, 자연과학 등 여러 분야에 거쳐 뛰어난 업적을 남긴 그는 18세기에 이르기까지 서양의 학문에 모범이 되었다.

1 　알렉산드로스 3세(Alexandros III, 기원전 356~323년)

　　알렉산드로스 대왕은 20세의 나이에 마케도니아의 왕이 되었다. 그는 13세부터 16세까지 아리스토텔레스에게 철학뿐만 아니라 윤리학, 의학, 과학, 천문학, 문학 등 많은 학문을 배웠다. 그는 그리스, 페르시아, 인도에 이르는 대제국을 건설한 걸물이었다.

　　알렉산드로스는 호메로스를 좋아하여 전투에도 그의 책을 항상 가지고 다녔고 아리스토텔레스에게 배운 학문들을 각 정복지에서 비교 연구하여 그 결과를 아리스토텔레스에게 보냈다고 한다. 그는 정복지에 다수의 도시를 건설하고 동서 교통, 경제 발전에 기여했다. 그리고 가는 곳마다 알렉산드리아라는 도시를 건설했는데 그중 가장 유명한 곳이 이집트에 있는 알렉산드리아이다. 알렉산드로스는 그 넓은 지역을 정복하여 그리스 문화와 오리엔트 문화가 융합된 헬레니즘 문화를 이룩하였다. 알렉산드로스는 33세의 젊은 나이로 12년 8개월의 재위 기간을 마치고 세상을 떠났다.

2 플라톤(Platon, 기원전 427~347년)

플라톤은 기원전 427년에 그리스의 아테네에서 태어났다. 아버지는 유명한 귀족이었고, 어머니는 정치가 솔론의 후손이었다. 플라톤은 20세가 되었을 때 소크라테스를 만나 큰 영향을 받았다. 스승 소크라테스는 기원전 399년에 아테네의 젊은이들을 타락시키고 나라에서 인정하는 신 대신 다른 신을 믿었다는 이유로 사형선고를 받았다. 이를 지켜본 플라톤은 정치에 실망하고 여러 나라를 돌아다니며 지식을 넓혔다. 40세에 플라톤은 아테네로 돌아와 아카데미라는 학교를 세워 제자들을 가르쳤다. 그곳에서는 아리스토텔레스와 같은 유명한 철학자를 배출하기도 했다. 그의 철학은 오늘날까지도 큰 영향을 주고 있으며 주요 저서로는 《국가》, 《향연》 등이 있다. 플라톤은 기원전 347년에 81세의 나이로 세상을 떠났다.

3 아카데미

아카데미는 플라톤이 기원전 387년에 아테네에 세운 학교이다. 아카데미는 최초의 학교로, 입구에 '기하학을 모르는 자는 이 문을 들어올 수 없다' 라고 쓰여 있었다고 한다. 플라톤이 아카데미에서 철학을 가르친 후부터 유럽의 학문적 전통이 이전보다 더욱 풍요로워졌다. 아카데미는 기원후 529년 동로마 황제 유스티니아누스에 의해 폐쇄되었다.

01강 인간은 사회적 동물이다

case 1 다음 두 글을 읽고, 인간이 공동체를 이루어 함께 살아야 하는 이유를 말해 보시오.

㉮ 아리스토텔레스는 나라가 생겨나는 과정을 다음과 같이 설명하고 있습니다. 인간은 태어날 때부터 사회적 동물입니다. 사회적 동물이기 때문에 다른 사람들과 더불어 살기를 원합니다. 인간의 가장 기본적인 집단은 가정입니다. 가정이 커지고 그 수가 늘면 마을을 이루게 됩니다. 다시 마을이 커지고 그 수가 늘면 이것들이 모여서 민족과 국가를 이루게 됩니다. 따라서 국가는 사람들이 모여서 이루는 여러 집단들의 마지막이자 최고의 단계라 할 수 있습니다. 이와 같이, 아리스토텔레스는 나라가 생겨난 이유를 우리 인간의 사회적 본성에서 찾고 있습니다. 사회적 본성에 따라 사람들은 가정을 이루고, 이러한 가정들이 토대가 되어 결국 나라를 이루게 된다는 것입니다.

– 중학교 교과서 《도덕 2》, 교육인적자원부, 185쪽 참고

❹ 1800년 1월 9일, 남부 프랑스의 생세랭이란 마을 근처에 자리 잡은 숲에서 이상한 생물체가 발견되었습니다. 직립해 걸을 수 있는 11~12세 정도의 소년으로 판명된 이 생물체는 인간이라기보다는 동물에 더 가깝게 보였습니다. 소년은 단지 날카롭고 이상하게 들리는 소리밖에 내지 못했습니다. 겉보기에 소년은 위생에 대한 감각이 전혀 없었으며 언제 어디서나 마음대로 용변을 보았습니다. 심지어는 옷을 입히자마자 바로 그것을 찢어 버리곤 했습니다. 곧 그는 지방 경찰의 주목을 받게 되었고 근처 고아원에 수용되었습니다. 그러자 그는 끊임없이 탈출하려고 했고 그때마다 그를 다시 잡기 위해서는 상당한 어려움을 겪어야 했습니다.

소년은 의학적인 종합 검사를 받았지만 비정상적인 부분은 한 군데도 발견되지 않았습니다. 하지만 소년은 거울을 비춰 주자 거울에 비친 자신의 모습을 보는 것 같았지만, 그 상이 자신이라는 것도 알지 못했습니다. 한번은 거울에 비친 감자를 잡기 위해 거울 안으로 손을 뻗은 적도 있었습니다. 소년은 여러 번의 시행착오 끝에야 머리를 돌리지 않고 어깨 너머로 손을 뻗쳐 감자를 집게 되었습니다.

사람들은 그 소년을 파리로 옮겨 '야수에서 인간으로' 변화시키기 위한 체계적인 시도를 하게 되었습니다. 하지만 그러한 노력은 단지 부분적으로만 성공했을 뿐이었습니다. 그는 화장실을 익숙하게 사용할 줄 알았고, 스스로 옷 입는 법도 배웠습니다. 그러나 몇 개의 단어 이상은 절대로 익히지 못했습니다. 이는 그의 정신적인 발달 능력이 미성숙하기 때문이 아니라 인간의 말을 완전히 습득할 의지나 능력이 없는 것 같았습니다. 그는 더 이상 그 어떤 발전도 보이지 않았고, 만 40세 정도가 된 1828년에 사망하였습니다.

— 기든스, 《현대의 사회학》 참고 / 고등학교 교과서 《사회문화》, 천재교육, 47쪽 참고

생각 쓰기

주 요 개 념 및 배 경 지 식

1 사회화

인간은 사회의 구성원으로서 사회적 소속감을 갖는다. 또한 사회적
관계를 지속할 수 있는 도구인 상징체계를 가정이나 학교에서 학습하게
된다. 이와 같이 사회적으로 합의된 가치에 적응하고 정상적인 사회인
으로서 성장하는 과정을 사회화라고 한다.

2 상징 체계

기호나 표시 등으로 의미를 나타내는 것이다. 예를 들어 비둘기는 사
람들 사이에서 평화의 상징으로 통한다.

02강 우정

case 1 아리스토텔레스가 말하는 우애란 무엇인지 아래의 글을 읽고 설명하시오.

모든 공동체는 공동의 가치 또는 규범을 가지고 있습니다. 동일한 가치 또는 규범을 공유함으로써 공동체는 도덕 공동체가 될 수 있습니다. 서양의 경우 아리스토텔레스는 도덕 공동체를 위해 절실히 요구되는 덕목으로 정의와 우애를 강조하였습니다. 정의란 공평한 것, 합법적인 것을 가리키고 우애란 여러 인간관계에서 지켜야 할 도리로서 다른 사람에 대한 관심과 배려를 의미합니다. 아리스토텔레스는 동료 간의 우애를 사회생활 및 정치생활의 최고의 덕으로 여겼습니다.

- 고등학교 교과서 《도덕》, 교육인적자원부, 74쪽 참고

생각 쓰기

무엇이건 두 발로 걷는 것은 적이다.

무엇이건 네 발로 걷거나 날개를 가진 것은 친구이다.

어떤 동물도 옷을 입어서는 안 된다.

어떤 동물도 침대에서 자서는 안 된다.

어떤 동물도 술을 마시면 안 된다.

어떤 동물도 다른 동물을 죽여서는 안 된다.

모든 동물은 평등하다.

– 조지 오웰의 《동물농장》에 나오는 동물들이 지켜야 할 '일곱 가지 계명' 참고

/ 중학교 교과서 《도덕 3》, 교육인적자원부, 58~59쪽 참고

생각 쓰기

주 요 개 념 및 배 경 지 식

1 조지 오웰의 《동물농장》

　조지 오웰은 인도 벵골에서 태어나 영국에서 주로 활동한 소설가인데 본명은 에릭 블레어이다. 《동물농장》은 조지 오웰이 1945년에 쓴 우화 소설이다. 한 동물 농장에서 벌어지는 이야기를 그리고 있으며, 인간 사회를 간접적으로 비판하고 풍자하는 내용을 담고 있다.

2 흑백 논리

　이쪽 아니면 저쪽에 서서 중간 입장을 허용하지 않는 태도를 말한다.

3 편견

　한쪽 입장에 치우쳐서 전체를 균형 있게 보지 못하는 잘못을 일컫는다.

03강 토끼들의 겨울나기

제시문을 읽고 아리스토텔레스가 말하는 대화법이란 무엇인지 설명해 보고, 왜 우리에게 변증론이 필요한지 그 이유를 설명하시오.

아리스토텔레스에 의하면 변증론의 목적은 '우리에게 내놓는 온갖 문제에 대하여 모순되지 않게 추론할 수 있는 방법을 발견하는 것'입니다. 변증술은 상호 의사소통에 의해 공통적인 진리를 추구해 나가는 인간의 정신적 작업이라고 할 수 있습니다. 따라서 변증술은 질문하는 자와 대답하는 자가 한 쌍이 되어 대화에 주제를 놓고 따지는 작업입니다.

－ 중학교 교과서 《도덕 3》, 교육인적자원부, 80쪽 참고

생각 쓰기

물 좋고 공기 좋은 깊은 산속에 토끼들이 마을을 이루어 살고 있었습니다. 이 마을 토끼들은 저마다 맡은 일을 열심히 하며 평화롭게 살았습니다. 그런데 토끼 가족이 점점 늘어나면서 살 집과 식량이 부족하게 되었습니다. 그래서 여러 가지 문제가 생겼고, 토끼들 사이에 다툼이 자주 일어났습니다. 무엇보다도 먹을 것이 별로 없는 겨울을 나는 것이 가장 큰 걱정이었습니다.

(……)

할아버지 토끼의 말을 듣고, 힘이 넘치는 젊은 토끼가 말했습니다.

"차라리 이번 기회에 산 너머에 마을을 새로 만듭시다."

그러자 갑자기 시끌벅적해졌습니다. 그러자 나이가 지긋한 또 다른 토끼가 입을 열었습니다.

"마을을 새로 만들려면 많은 돈과 시간이 필요한데, 그러기에는 준비가 너무 부족해요. 마을을 새로 만드는 대신에 겨울을 날 식량을 쌓아 둘 창고를 짓고, 지금부터 부지런히 식량을 모으는 것이 더 나을 것 같군요."

서로 자기 의견을 주장하다 보니 시간만 흐르고 결정이 나지 않았습니다. 그래서 회의는 제대로 진행되지 못하고 해가 뉘엿뉘엿 넘어가기 시작할 때까지도 토끼들은 서로 다투기만 할 뿐 아무 결정도 하지 못했습니다.

- 초등학교 교과서 《도덕 5》, 교육인적자원부, 92~94쪽 참고

생각 쓰기

1 변증법

변증법은 고대 그리스에서 처음 시작되었는데 그리스어 '디알렉티케'라는 단어에서 유래된 이름이라고 한다. 원뜻은 대화술을 가리키며, 아리스토텔레스는 변증법의 창시자를 제논으로 꼽았다.

제논은 당시 엘레아학파에 속한 철학자였다. 그는 상대와 끊임없이 묻고 답하기를 되풀이하면서 상대의 말에서 모순을 발견해 자신의 주장이 옳다는 것을 입증하는 변증법을 중요한 대화의 기술로 여겼다.

변증법은 후에 칸트와 헤겔에 의해 더욱 발전했으며, 특히 헤겔은 변증법이 정(正), 반(反), 합(合)의 세 단계를 거쳐 전개된다고 주장했다.

2 아리스토텔레스의 《변증론》

《변증론》은 아리스토텔레스의 논리학을 구성하고 있는 여섯 권의 책이다. 《범주론》, 《명제론》, 《분석론 전서》, 《분석론 후서》, 《궤변론》 그리고 《변증론》 중에서 제5권에 해당하는 도서로써 주로 변증법(대화법)을 다루고 있다.

3 모순

어떤 사실의 앞뒤, 또는 두 사실이 이치상 어긋나서 서로 맞지 않음을 이르는 말이다. 중국 초나라의 상인이 창과 방패를 팔면서 창은 어떤 방패로도 막지 못하는 창이라 하고 방패는 어떤 창으로도 뚫지 못하는 방패라고 함으로써, 앞뒤가 맞지 않은 말을 하였다는 데서 유래한다.

4 추론

어떠한 판단을 근거로 삼아 다른 판단을 이끌어 냄을 의미한다.

아비투어 철학 논술

예시 답안

① 아리스토텔레스는 그리스의 스타게이로스에서 태어났다.

② 아리스토텔레스는 플라톤의 제자이다.

③ 아리스토텔레스는 아카데미의 분교를 세워 제자들을 가르쳤다.

④ 아리스토텔레스는 마케도니아의 왕 알렉산드로스를 교육시켰다.

⑤ 아리스토텔레스는 철학뿐만 아니라 정치학, 수사학, 예술 이론, 자연과학 등 여러
분야에 뛰어난 업적을 남겼다.

주 제 탐 구   **01 강**   인간은 사회적 동물이다

case 1   인간은 동물과 다르게 도구와 언어를 사용하기에 흔히 만물의 영장이라고
한다. 하지만 신체적인 특징만 보면 태어나면서는 네 발로 걸어 다니고 커
서는 두 발로 다니는 동물일 뿐이다. 그런데 아리스토텔레스에 따르면 인간은 본성적
으로 사회적 동물이라고 한다.

인간이 태어나서 부모나 다른 사람들의 도움을 전혀 받지 않고 자란다면 인간은 동
물처럼 행동하게 될 것이다. 인간이 사회 구성원으로 성장해 가지 않는다면 야생 소
년의 예와 같이 사회에 적응하지 못하는 행동을 보일 것이다. 우리는 가정과 학교 등
에서 부모님, 선생님, 친구들과 어울려 생활하면서 사회적 행동을 배우고 있다. 이처
럼 인간은 태어나면서부터 가족을 비롯한 마을, 민족, 나라 등 여러 집단에 속하여 생
활하게 되고 사회적 존재로 성장하게 된다.

case 1 우선 우애란 여러 인간관계에서 지켜야 할 도리로서 다른 사람에 대한 관심과 배려를 의미한다. 아리스토텔레스는 우애와 정의를 도덕 공동체를 위해 절실히 요구되는 덕목으로 강조했다. 또한 동료 간의 우애는 사회생활 및 정치생활에서 최고의 덕이라고 보았다.

하지만 살아가면서 만나는 모든 사람들과 우애를 지키기는 쉽지 않다. 나와 친구 사이인 사람과의 우애를 위해 힘쓰다 보면 나와 친구가 아닌 사람에게 피해를 주는 일이 생길 수도 있다. 조지 오웰의《동물 농장》을 보면 동물은 두 발로 걷는 인간을 적으로, 자신들처럼 네 발로 걷거나 날개를 가진 동물들을 친구로 여긴다. 이 세상 모든 것은 적 아니면 친구라는 두 가지 형태로 이루어져 있다는 흑백논리의 한 예라고 볼 수 있다. 이러한 주장으로는 좋고 나쁨이나 옳고 그름에 대한 생각이 한쪽으로 치우칠 수밖에 없다. 그래서 친구가 아닌 부류는 적으로 여겨 서로의 갈등을 해결할 방법이 없게 된다. 이처럼 남에게 손해를 주면서까지 자신의 우애를 중요시여기는 것은 진정한 도덕적 덕목이라고 할 수 없다.

case 1 사람들끼리 서로 생각을 주고받는 것을 대화라고 한다. 우리는 세상을 살아가면서 많은 사람과 대화를 나눈다. 하지만 서로 같은 언어를 쓰고 있음에도 의사소통이 생각처럼 원활하게 되지 않는 경우가 많다. 그 이유는 우리가 올바른 대화법으로 이야기를 주고받지 않기 때문이다.

아리스토텔레스가 말하는 변증론을 염두에 두고 대화를 한다면 이러한 문제점을 해소할 수 있을 것이다. 상대방에게 질문을 하면 그 질문에 해당하는 답변을 듣고 상대의 말에 모순이 있는지 잘 살펴야 한다.

그렇지 않으면 상대의 속임수에 빠질 수도 있고, 문제에 대한 해결책을 찾지 못한 채 각자의 주장만을 고집하며 아까운 시간을 낭비할 수 있기 때문이다.

결국 진리를 찾기 위해 우리는 남과 대화를 할 수밖에 없다. 이런 상황에서 고대 그리스 철학자 아리스토텔레스는 현명하게 대화하는 법을 가르쳐 준 고마운 철학자라 할 수 있다.

case 2 토끼들은 수가 많아지자 식량과 주거 등의 문제가 생겼다. 이런 마을의 문제를 해결하기 위해서 토끼들은 대화를 통해 가장 현명한 해결책을 찾아야 한다. 서로 자기 의견이 옳다고 고집을 부리며 다투기만 한다면 아무런 문제도 해결할 수 없다.

그래도 이들이 계속해서 민주적인 방법으로 대화를 계속해 나가면서 의견을 모은

다면 대다수의 토끼들이 납득할 만한 결론을 내릴 수 있게 될 것이다. 이렇듯 대화는 공동체 사회를 사는 집단이 문제를 해결할 수 있는 매우 중요한 수단이 된다.

Abitur

철학자가 들려주는 철학이야기 003

최한기가 들려주는 기학 이야기

저자_김광식

서울대학교 철학과에서 학사·석사 과정을 마치고 독일 베를린 자유대학교 철학과에서 박사과정을 마쳤다. 저서로는《사회철학대계 4: 기술시대와 사회철학》(공저)이 있고, 역서로는《흄 —나는 존재하지 않는다》,《마르크스 정치경제학의 변증법적 방법 I, II》(공역),《철학대사전》(공역) 등이 있으며, 논문으로는〈본질과 현상의 범주를 통해 본 인식들 사이의 모순의 문제〉,〈사이버네틱스와 철학〉 등이 있다. 서양철학과 동양철학을 비교하는데 많은 관심을 가지고 있다.

최한기

崔漢綺

아래의 이야기를 읽고 최한기가 누구인지, 그리고 그의 사상은 무엇인지 말해 보세요.

최한기는 19세기 초인 조선시대 후기에 살았던 학자인데, 그때는 관리들이 부패해서 자기 배를 채우는 데만 급급했었어. 그러다 보니 백성들은 살기 어려웠지.

최한기는 그러한 세상을 보면서 실학을 연구했던 분이야. 실제로 생활에 도움이 되는 학문이라는 뜻의 실학은 다들 알고 있지? 백성은 굶어 죽는데도 이것저것 이름을 붙여서 세금을 강제로 거두고, 또 곡식을 빌려 주고는 몇 배로 갚게 했단다.

최한기는 그런 세상을 한탄하면서 백성들이 잘살 수 있는 길을 찾아보려 힘썼던 선비였어.

당시에 조선은 외국의 문물이 들어오는 것에 반대해 굳게 문을 닫고, 외국의 발달한 문명 기술 등을 받아들이지 않았단다. 조선의 뿌리가 흔들리게 될 것을 염려한 거지.

그러나 최한기는 우리 것만 지켜서는 살기 어렵다고 생각했단다. 그래서 선진 문물을 받아들이고 변하는 시대에 발을 맞추어야 한다고 주장했어. 나라의 문을 굳게 닫아 두는 동안 결과적으로 나라의 발전만 더디게 됐거든.

– 《최한기가 들려주는 기학 이야기》 중에서

생각 쓰기

주 요 개 념 및 배 경 지 식

1 실학

조선 후기에 백성들이 잘살고 나라가 튼튼해지는 방법을 연구한 학문을 가리키며 이를 연구한 학자들을 실학자라고 한다.

2 기학

기학은 기의 개념으로 자연과 인간과 문화를 포괄적으로 설명하는 학문이다. 기학에서는 우주의 가장 근원적인 요소를 기로 보고 기가 다양한 방식으로 모이고 흩어지는 것으로 만물의 생성·변화·소멸을 설명한다.

01강 귀신이 있을까?

case 1 아래의 이야기를 바탕으로 귀신이 있다고 생각하는지 아니면 없다고 생각하는지 자신의 생각을 이유를 들어 설명하시오.

"세상의 모든 것, 공기, 물, 돌, 나무, 사람 모두 물질이야."

그럼 귀신도 물질이지 않나 하는 생각이 머리를 스쳤다.

"그럼 귀신도 물질 아닌가요?"

귀신은 없다는 데서 시작한 얘기였는데, 세상의 모든 것이 기로 이루어져 있다니, 그럼 귀신도 기로 이루어졌다는 말 아닌가?

"그건 아니지. 우리가 귀신이 있다는 데에서 시작을 했다면, 귀신도 물질이라고 결론을 내릴 수 있지만, 애초에 귀신은 없다고 시작했잖아. 그러니까 귀신은 물질도 아니고, 그냥 없는 거야. 최한기는 과학을 바탕으로 기학을 연구했기 때문에 과학적으로 증명할 수 없는 것은 없다고 말한단다. 너희들, 확실히 귀신이 있다는 과학적 증거를 본 적 있니?"

우리는 서로 얼굴을 쳐다보았다. 민수는 당연히 없다는 표정이었지만, 나머지 세 명은 아직 긴가민가하는 표정이었다.

"귀신이 있다는 과학적 증거는 본 적 없어요."

우리가 서로 쳐다보고 있는 사이, 민수가 확신에 찬 목소리로 답했다.

"그래. 그런 거 본 적 없으니까 귀신은 없는 거야. 알겠지?"

"네!"

우리들은 큰 소리로 입을 모았다.

– 《최한기가 들려주는 기학 이야기》 중에서

생각 쓰기

"물론 실험 기구는 없었지만 한문으로 번역된 서양의 과학책을 보고, 또 세상의 변화와 자연의 모습들을 보면서 생각을 정리했지. 그걸 《기학》,《기측체의》라는 저서에서 기(氣)라는 것으로 설명했단다."

우리는 입을 모아 물었다.

"기요? 길거리에서 이상한 사람들이 '도나 기를 아십니까' 할 때 그 '기' 말이에요?"

아빠가 웃으시며 말했다.

"그래, 그것도 기지. 기라는 말은 사실 우리 일상생활에서 많이 쓰이는 말이야. '공기' '기운이 없다' '활기차다' '기가 막히다' 이런 말들에 다 기가 들어가지 않니? 이 기는 다른 말로 물질이라고 이해하면 된단다."

이야기를 듣던 민수가 고개를 갸웃했다.

"기, 그러니까 물질이 어떻다는 거예요? 세상이 다 물질이다 뭐 그런 건가요?"

아빠는 눈을 크게 뜨며 민수를 봤다.

"녀석, 대단한데, 내가 말하려는 것이 바로 그거란다. 세상에 있는 것은 물질뿐이라는 거야. 가장 작은 단위인 물질이 모였다가 흩어졌다 하면서 세상을 구성하는 거란다."

조용히 있던 소동이 물었다.

"그럼 아빠가 말하는 물질이란, 과학 시간에 배운 원자, 분자 같은 건가요?"

"그렇다고 할 수 있겠지. 지금은 더 작은 단위까지 연구하고 있다는데, 어쨌거나 쪼개질 수 없는 가장 작은 단위를 물질이라고 이해하면 될 거야. 쉽게 예를 하나 들어 볼까? 저기 돌하르방이 보이지?"

아빠는 장식장에 진열된 돌하르방을 가리켰다. 우리 부모님이 신혼여행 때 사 오신 기념품이다. 가지고 있으면 아들 낳고 금실이 좋아진다는 말에 샀다는데 완전 거짓말은 아니었나 보다. 딸에 아들도 둘이나 낳았으니 말이다.

"저 돌을 쪼개고 갈면 무엇이 되겠니? 작은 알갱이에서 돌가루가 되었다가 나중에는 먼지가 되고, 공기 중에 흩어질 거야. 결국 공기도 먼지도 돌도 다 물질이 모여서 이루어진 거지."

듣고 보니 그런 것 같았다. 공기도 결국은 물질이었다.

"자, 또 다른 예를 들어 볼까? 여기 저녁 때 먹다 남은 고구마가 있구나. 이 고구마를 먹으면 소화가 돼서 똥으로 나올 거야. 똥도 나중에는 흙 속에서 썩어서 공기 중에 흩어지겠지?"

태근이와 민수가 실실 웃으며 물었다.

"그럼, 개똥, 소똥도 결국 기가 모인 거고, 물질이겠네요?"

아빠는 같이 웃으며 대답했다.

"그렇지. 똥도 방귀도 물질이지. 최한기는 눈앞에 보이는 것이나 보이지 않는 것이나 그 근원은 모두 물질이라고 했어."

-《최한기가 들려주는 기학 이야기》 중에서

생각 쓰기

1 귀신

죽은 사람의 혼령 또는 눈에 보이지 않으면서 인간에게 화복(禍福)을 내려 준다고 하는 정령을 가리키는 말이다.

2 기

동양철학의 중요한 기초 개념의 하나로 만물을 생성·소멸시키는 물질적 시원(始原)이라고 일컬어지기도 하며 이(理)와 반대의 뜻으로 쓰이기도 한다.

3 공기

지구를 둘러싼 대기 하층을 구성하는 무색투명한 기체이다. 눈에 보이지 않고 평소에는 그 중요함을 모르지만 지구에 사는 모든 생물들이 사는 데 꼭 필요한 역할을 한다. 공기가 없다면 우리는 단 몇 분도 살 수 없다.

02강 영원히 변하지 않는 것이 있을까?

case 1 아래의 이야기를 읽고 세상에 변하지 않는 것이 있는지 생각해 보고 있다면 예를 들어 보시오.

"아빠! 세상엔 눈에 보이지 않는 것도 많은데, 그것들도 다 물질인가요? 음악이나 마음, 생각 같은 것은 물질이 아니지 않나요? 최한기는 어떻게 이야기했어요?"

"흐음, 날카로운 질문인데? 껄껄껄. 최한기는 그런 것도 물질이라고 했어. 정확히 말하면, 물질의 운동이라고 했지. 물질의 움직임이 그런 것을 만들어 낸다는 뜻이란다."

아빠는 자신의 이야기를 잘 이해해 준 것이 흐뭇했는지 덧붙여 말씀하셨다.

"만물은 물질로 되어 있다고 했지? 돌이 가루가 되었다가 사라지는 것처럼, 물도 수증기가 되었다가 구름을 거쳐 비로 떨어지지. 너희도 배웠듯이 지구의 환경도 시대에 따라 계속 변해 왔고 기후도 문명도 변한단다. 물질이 계속 움직이고 변하기 때문이야. 지구의 나이가 45억 년이라고들 하는데 아마 수십억 년이 지나면 태양이 촉발하고 태양계는 새로운 별이 되어 지구는 없어질 거야. 그건 물질이 그렇게 하는 거지. 물질 외에 어떤 것이 있어서 그렇게 만드는 것은 아니란다."

- 《최한기가 들려주는 기학 이야기》 중에서

생각 쓰기

물질

　모든 물체를 구성하는 가장 기본적인 바탕을 말한다. 물리학에서의
물질은 일정한 공간을 차지하고 무게를 갖는 것을 의미하고, 화학에서는
혼합물과 구별되는 순수 물질을 의미한다. 또한, 철학적인 개념으로는
인간의 정신과 대비하여 인간의 의식 바깥에 존재하는 것을 물질이라고
한다.

03강 불로초를 찾아라!

case 1 불로초를 찾는 진시황에게 신이 '지금 있는 모든 돌은 깨어진다'는 것을
증명하면 영원히 죽지 않게 해 주겠다고 약속한다. 진시황이 과연 성공할
수 있었을까? 자신의 생각과 이유를 말해 보시오.

생각 쓰기

1 불로초

　　중국 최초의 중앙집권적 통일 제국인 진(秦)나라를 건설한 진시황이
죽지 않고 살기 위해 많은 사람을 보내 찾게 했다는 전설의 풀이다.

　　진시황이 찾았다는 불로초는 현재 우리가 영지버섯이라고 부르는 버
섯이라는 설이 가장 유력하다고 한다.

2 진시황

　　기원전 247~210년. 최초로 중국을 통일한 진나라의 군주로 열세 살에
왕이 되어 39세의 젊은 나이에 천하를 평정하여 중국 역사상 가장 거대
한 통일국가를 건설하였다. 진시황은 자신 스스로 최초로 황제가 되었
기 때문에 시황제(始皇帝)라고 부르기도 하였고, 죽지 않고 영원히 사는
불로초를 구한 것으로도 유명하다.

아비투어
철학 논술

예시 답안

① 최한기는 조선 시대 후기의 유학자이다.

② 살기 힘든 백성들을 위해 실제 생활에 도움이 되는 학문인 실학을 연구했다.

③ 조선이 외국 문물을 받아들이지 않으려 하는 것을 걱정하여 앞선 외국 문물을 받아들여 나라의 발전을 꾀해야 한다고 주장했다.

④ 서양의 과학 기술과 그 경험적 탐구 방법을 유교사상의 기본 개념 중 하나인 '기(물질)' 개념을 중심으로 해석하였다.

주 제 탐 구 **01**강 귀신이 있을까?

case 1 귀신은 없다고 생각한다. 최한기의 말대로 모든 것은 기(물질)로 이루어졌다. 세상에서 유일한 정신은 인간의 정신이며, 그 정신은 인간의 몸(물질)과 따로 존재할 수가 없다. 그런데 귀신이란 인간의 몸(물질)과 따로 존재하는 정신적인 존재다. 만약 귀신이 존재한다면 귀신도 기(물질)로 이루어진 물질적인 존재여야 할 것이다. 하지만 귀신이 물질적인 존재가 되면 귀신은 더 이상 귀신이 아닌 것이 된다. 몸(물질)과 따로 존재하는 정신적인 존재가 귀신이기 때문이다. 따라서 이 세상에 귀신은 없다.

case 2 모든 축구공은 공에 속하지만, 모든 공이 축구공일 수는 없다. 축구공 말고
도 야구공이나 농구공도 있기 때문이다. 공이라는 것이 축구공보다 포함
하는 가짓수가 많다.

마찬가지로 모든 공기는 기에 속하지만, 모든 기가 공기일 수는 없다. 공기 말고도
돌이나 나무도 기에 속하기 때문이다.

공과 축구공의 공통점은 둘 다 공이라는 것이다. 차이는 공이 축구공보다 포함하는
가짓수가 많다는 것이다.

마찬가지로 기와 공기의 공통점은 둘 다 기라는 것이다. 차이는 기가 공기보다 포
함하는 가짓수가 많다는 것이다.

주 제 탐 구 **02강** 영원히 변하지 않는 것이 있을까?

case 1 "모든 것은 변하기 때문에 '모든 것은 변한다는 사실'은 변하지 않는다."
고 주장할 수 있다. 하지만 "'모든 것은 변한다는 사실'은 변하지 않는다."
는 주장이 참이라면, 변하지 않는 것이 있게 되므로 '모든 것은 변한다'는 주장은 거
짓이 된다.

한편 "'모든 것은 변한다는 사실'은 변하지 않는다"는 주장이 거짓이라면, '모든
것은 변한다'는 사실이 변하게 되므로 '모든 것은 변한다는 주장'은 거짓이 된다. 그
러므로 변하지 않는 것은 없다. 모든 것은 변한다.

case 1　성공할 수가 없다. 진나라의 백성들이 아무리 많아도 이 세상에 있는 많은 돌을 모조리 다 깨 볼 수는 없기 때문이다. 만약 백보 양보하여 진나라 백성들이 이 세상의 돌을 하나만 빼고 모두 깨뜨렸다고 해도 성공할 수가 없다. 그리고 모든 돌을 다 깨뜨려 보았다는 것을 증명하고 보장할 방법이 없다.

철학자가 들려주는 철학이야기 004

한나 아렌트가 들려주는 전체주의 이야기

저자_김광식

서울대학교 철학과에서 학사·석사 과정을 마치고 독일 베를린 자유대학교 철학과에서 박사 과정을 마쳤다. 저서로는 《사회철학대계 4: 기술시대와 사회철학》(공저)이 있고, 역서로는 《흄—나는 존재하지 않는다》, 《마르크스 정치경제학의 변증법적 방법 I, II》(공역), 《철학대사전》(공역) 등이 있으며, 논문으로는 〈본질과 현상의 범주를 통해 본 인식들 사이의 모순의 문제〉, 〈사이버네틱스와 철학〉 등이 있다. 서양철학과 동양철학을 비교하는 데 많은 관심을 가지고 있다.

한나 아렌트

Hanna Arendt

다음 글을 읽고 한나 아렌트가 누구인지, 무슨 일을 했는지 요약하
시오.

"한나 아렌트요? 아니요, 들어 본 적 없는데…… 아! 아버지 서재에서 언
젠가 본 것 같아요. 맞죠?"

"그래, 맞아. 내가 한나 아렌트에 대해 논문도 썼잖니. 한나 아렌트는 유
명한 정치철학자야. 정치철학에서는 드물게 여성이기도 하고, 독일에서 태
어났지만 유대인이었지. 내가 지금까지 말한 반유대주의에 대한 고정관념
도 한나 아렌트가 쓴 《전체주의의 기원들》이란 책에 나와 있는 거란다."

"한나 아렌트도 유대인 수용소에 끌려갔었다고 했죠?"

어머니의 말씀에 나는 깜짝 놀랐다. 유대인 수용소에 끌려간 사람들이 독
가스실에 갇혀서 죽었다는 얘기를 들었기 때문이다.

"정말요?"

"응, 그랬어. 그런데 아렌트를 가둔 나라는 독일이 아니라 프랑스였어. 그
것도 독일계라는 이유로 잡힌 거라서 다른 유대인들과는 경우가 달라. 아렌
트는 독일에서 유대인들을 잡아들이기 전에 프랑스로 어머니와 함께 망명

을 떠났는데, 프랑스가 독일과 전쟁을 하면서 독일에 대한 감정이 심하게 나빠진 거야. 그래서 프랑스가 독일계 사람들을 수용소에 가둬 버린 거지. 아렌트는 유대인이었지만 독일에서 태어났기 때문에 수용소에 갇히게 되었어."

"아하! 그럼 유대인 수용소가 아니라 독일인 수용소에 갇힌 거네요? 그래서 다행히도 탈출을 할 수 있었던 거군요."

어머니는 고개를 끄덕끄덕하셨다.

"그렇죠. 그래서 수용소 관리가 다소 허술해서 서류를 위조하고 탈출할 수 있었어요."

무시무시한 유대인 수용소를 떠올렸던 나는 휴, 하고 안도의 한숨을 쉬었다. 그리고 수용소에서 탈출한 한나 아렌트가 어떻게 되었을까 궁금해서 아버지께 물었다.

"그래서요? 아렌트는 그 뒤로 어떻게 되었어요? 나치를 피해 도망갈 수 있었나요?"

"응. 아렌트는 나치를 피해서 나중에 미국으로 건너갔단다. 거기서《전체주의의 기원들》을 비롯하여 많은 책을 썼는데, 한나 아렌트는 유대인들이 학살당한 원인에 대해 이렇게 분석했어. 반유대주의는 유대인에 대한 편견 때문에 생긴 것이 아니라, 유대인들이 정치 활동을 하지 못해서 생긴 것이라고 말이야. 그러니까 그 말은 유대인들이 정치 활동을 하지 않아서 반유대주의가 생겼고, 그 때문에 끔찍한 학살을 당하게 되었다는 뜻이란다."

　　　　　　　　　－《한나 아렌트가 들려주는 전체주의 이야기》 중에서

생각 쓰기

1 전체주의

전체주의는 전체를 위한다는 명분으로 개인적인 자유를 허용하지 않고 개인을 철저히 희생시키는 것을 말한다. 그것이 국가나 단체의 힘을 최대한으로 만들어 줄 것이라고 생각하기 쉽지만 사실은 그렇지 않다. 전체주의는 특정한 국가 목표를 가장 중요하게 여긴다. 그 목표를 달성하기 위해서는 어떤 공포 분위기가 필요하고, 결국 그 공포심 때문에 사람들이 따라가는 것이지, 진정 자발적으로 사람들이 거기에 참여하는 것이 아니다.

국가권력이 국민에게서 나온다는 사실을 망각하고 국가의 권력을 목적 달성에만 이용했던 히틀러가, 진정한 권력과 폭력의 구분이 희미해져, 유대인 대학살도 서슴지 않았던 것처럼 전체주의는 잘못된 판단과 결과를 만들 수 있다. 한 사람이 전체를 위하여 행동하는 것은, 전체가 한 사람을 위할 때 가능하다.

2 《전체주의의 기원들》

한나 아렌트는 유대인이기 때문에 특히 유대인들에 대한 일반 사람들의 편견에 민감했다. 자신을 한 사람의 개인으로 보지 않고 유대 민족의 일원으로만 보고, 무조건적으로 박해의 대상으로 삼는 독일이 싫어서 자기가 태어나고 자란 독일을 떠났다.

아렌트는 1952년에 《전체주의의 기원들》이라는 책을 써서 정치사상가로서 일약 유명세를 타게 된다. 저자 자신이 당한 현실적인 고난을 이해하기 위해 정치철학에 관심을 많이 기울였으며 그녀는 종교 문제, 삶과 죽음의 의미의 문제 등에 많은 관심을 가졌다.

01강 왕따가 반장?

case 1 다음 이야기를 읽고 선거를 통하지 않고 선생님이 승진이를 반장으로 지목한 것에 대해 어떻게 생각하는지 서술해 보시오.

박선해.

우리 담임선생님의 성함이다. 치와와처럼 맑고 큰 눈을 가졌지만, 웃을 땐 연예인 이효리처럼 반달눈이 되어 아주 귀엽다. 뿐만 아니라 웃을 때 양 볼에 깊이 파인 보조개는 건포도를 콕 박아 놓은 스펀지케이크 같다. 목소리도 얼마나 고운지 똑똑 이슬이 떨어지는 것 같다니까!

공부도 쉽게 가르쳐 주시고 우리의 마음을 잘 이해해 주시는 박선해 선생님은 이름처럼 정말 착하신 분이다.

그런 우리의 담임선생님이 갑자기 독재자로 변하셨다.

우리 반은 다른 반과 달리 매달 1일 반장 선거를 한다. 더 많은 학생이 반장이 되어 통솔력을 키우고, 다양한 경험을 하며, 무엇보다 반장과 그 외의 학생 간에 차이를 두지 않고 평등한 학급을 만들자는 의미에서였다. 그래서 우리는 매달 1일이 되면 몹시 설렌다.

'이번엔 누가 반장이 될까? 혹시 내가?'

생각만 해도 설레고 신나는 일이다. 공공연히 인기투표처럼 된 반장 선거에서 한 표라도 얻게 되면 그 우쭐한 기분이라니!

그런데 이번 달 반장 선거가 이루어지지 않았다. 반장을 뽑지 않았다는 것이 아니다. 갑자기 독재자로 변하신 담임선생님이 마음대로 반장을 뽑아 버리셨다.

"이번 달은 스승의 날이 있는 달이기도 하니까 선생님이 반장을 지목하면 어떨까요?"

모두들 선생님 말씀을 듣고 '이번엔 선생님이 가장 좋아하는 아이가 반장이 될 거야'라는 생각에 가슴이 쿵쾅거렸다. 친구들이 뽑아 주는 반장도 인기 있는 아이라는 의미에서 자랑스럽겠지만 예쁘고 착한 선생님의 지목을 받는다면 그것 또한 정말 자랑스러운 일일 테니까. 그런데! 선생님의 그 고운 입에서 호명된 아이는? 바로 김승진!

'김승진이 반장이라니. 이건 말도 안 돼!'

장담하건대, 김승진은 우리 반 아이들 모두가 싫어하는 아이이며 가장 인기 없는 아이다.

후줄근한 옷차림에 느릿느릿 어눌한 말투, 게다가 누가 불러도 서둘러 대답도 않고 어깨를 축 늘어뜨린 채 눈만 빠끔히 치켜뜨고는 '왜……?' 소리만 길게 늘여 빼는 아이. 체육 시간에 체육복도 제일 늦게 갈아입고 합창할 때마다 음을 맞추지 못해 지적을 받는 아이. 승진이가 가장 빨리 할 수 있는 건, 점심시간에 싹싹 먹어 치운 빈 급식 판을 먼저 갖다 놓는 일뿐이다. 한마디로 승진이는 우리 반 왕따이다.

그런 승진이가 반장이라니! 왕따가 반장이라니!

－《한나 아렌트가 들려주는 전체주의 이야기》 중에서

생각 쓰기

기찻길 공원은 빨간 철쭉으로 붉게 물들어 있었다.

우리는 철쭉 꽃길을 헤치고 기찻길을 건너 별난 아카시아나무 아래 멈춰 섰다. 숨이 턱까지 차올라 서로의 얼굴을 한 번씩 번갈아 보며 쌕쌕 가쁜 숨을 내쉬었다.

"어쨌든, 헉헉. 맘에 안 들어! 헉헉!"

겨우 숨을 고르며 용수가 말했다.

"재수 없는 왕따 자식!"

슬범이가 입에 고인 침을 뱉었다.

"우리 선생님이 왜 갑자기 독재자가 되셨을까? 만날 평등이니 존중이니 그러면서……"

나는 숨을 몰아쉬었는데 한숨처럼 나왔다.

"선생님께서는 승진이가 어떤 애인지 잘 모르시나 봐. 반장이 아무나 되는 거냐? 통솔력도 있고, 인기도 있고, 공부도 좀 잘하고, 그리고 이건 꼭 필요한 건 아니지만. 헤헤! 적어도 나 정도 생긴 인물이라면 또 몰라."

성훈이가 말을 계속 이으려고 하자 태섭이가 말을 딱 잘라 버렸다.

"넌 이 상황에서 농담이 나오냐? 지금 왕따가 반장이 된 이 마당에?"

아이들은 승진이가 맘에 들지 않는 이유를 들면서 가끔 욕을 섞어 흉을 보느라 와자지껄했다.

"이건 말이야, 아주 심각한 상황이야. 뭔가 대책이 필요해."

슬범이가 심각한 표정을 지으며 마른 입맛을 쩍쩍 다셨다.

"야, 김호곤! 넌 왜 그렇게 말이 없냐? 뭐라고 말 좀 해 봐."

태섭이가 다그치듯 물었다.

나는 대꾸도 않고 집을 향해 뛰었다.

— 《한나 아렌트가 들려주는 전체주의 이야기》 중에서

생각 쓰기

3월, 4월……, 내가 될 줄 알았다.

여자 아이들에게 선물을 가장 많이 받는 사람도 나, 공부든 발표든 뭐든 잘하는 사람도 나, 운동을 잘해서 남자 아이들로부터 부러움을 사는 사람도 나, 그런 사람이 바로 나 김호곤이다. 그런데 나는 언제나 2등으로 밀렸다. 그것도 꼭 한 표 차이로 말이다. 그건 내가 한 표만큼 인기가 없어서가 아니라 내가 나를 찍지 않았기 때문이었다.

나는 내 이름을 쓰지 않았다. 내 힘을 보태서가 아니라 온전히 아이들의 선택으로 반장을 하고 싶어서였다.

이번엔 정말 내가 반장이 될 줄 알았다. 반 아이들 모두가 선거 전부터 그렇게 말했다. 나도 그 말을 의심하지 않았다. 이번엔 날 밀어 주겠어! 마음 속으로 나를 격려했으니까. 그런데 갑자기 선생님께서 승진이를 지목하신 것이다. 그것도 승진이 같은 아이를…….

나는 괜스레 눈물이 나오려고 했다. 반장이 되지 못한 억울함 때문이 아니다. 어차피 아이들의 선택이 아니라 선생님의 지목이었으니까. 선생님이 날 선택해 주시지 않은 것이 서운하긴 하지만 그래도 참을 수 있다. 그런데

133

그 상대가 하필이면 김승진이라니!

공부도 못하고 말도 어눌하고 냄새도 나고 느려 터진 김승진이 반장이 되다니…….

나는 승진이의 비교 대상이 된 것 같아 억울하고 불쾌했다.

'재수 없는 왕따 자식!'

나도 모르게 현관문을 쾅 닫아 버렸다.

－《한나 아렌트가 들려주는 전체주의 이야기》 중에서

생각 쓰기

1 고정관념

　사람의 마음속에 자리 잡고 있으면서 자신의 의지와 상관없이 자주 의식하게 되는 생각이나 견해를 말한다. 고정관념은 사람의 정신생활뿐만 아니라 행동까지 좌지우지하며 부정확하게 일반화된 신념이다. 가장 일반적인 예로 어떠한 국가, 민족, 지역, 종교, 직업군의 사람은 어떠하다는 식으로 뿌리 깊게 박힌 생각을 들 수 있다. 주로 부정적인 방향으로 고정된 의견이나 견해가 심어져 있을 때 쓰인다.

2 편견

　어떤 것에 대해 공정하지 못하고 한쪽으로만 치우친 생각이나 견해를 말한다. 다시 말하면, 특정 인물이나 사물 또는 뜻하지 않게 일어난 일이나 사건에 대해 갖는 치우친 판단이나 의견을 가리키는 것이다. 보통 어느 사회나 집단에 속하는 다수의 사람들인 특정 대상, 즉 특수한 인종이나 집단에 속하는 사람들에 관해 생각하고 있는 나쁜 감정이나 부정적인 평가, 그리고 적대적인 말과 행동의 총체이다. 논리적인 비판이나 구체적인 사실의 반증에 의해서도 바꾸기 어려운 뿌리 깊은 비호의적인 태도나 신념을 의미한다.

02강 인간은 정치적 동물?

"왜 유대인이 그렇게 학살을 당해야만 했을까요?"

"그건, 제가 말씀드릴 수 있어요. 유대인들은 신이 자신들을 특별히 선택했다는 선민의식을 갖고 있었는데, 그때 유럽은 기독교 중심의 세상이었기 때문에 유대인들은 나라 없이 떠돌며 살 수밖에 없었어요. 또 샤일록처럼 고리대금업과 같은 나쁜 방법으로 돈을 많이 모아서는 자기들만 위해서 썼기 때문에, 유대인에 반대하는 사람들이 그들을 그렇게 무차별 학살한 거예요."

"유대인이 고리대금업으로 돈을 벌었다고 해서 학살당할 이유는 없지요. 많은 사람들이 유대인들이 돈이 많고 똑똑해서 사람들로부터 시기를 받아 반유대주의가 나타났다고 하는데, 그건 고정관념이에요. 제가 처음에 여러분에게 한 얘기 기억하죠? 인간은 정치적 동물이란 말이에요."

"네! 인간은 정치적 활동을 해야 인간다운 삶을 살 수가 있어요!"

슬범이가 큰 소리로 대답을 했다.

"껄껄껄, 잘 기억하고 있네요. 그런데 유대인들은 그렇게 하지 못해서 사람들의 미움을 받게 된 것이랍니다."

"교수님! 정치 활동을 안 했다고 사람들로부터 미움을 받았다는 게 이상해요. 저는 정치 활동을 안 하는데도, 애들이 저를 미워하진 않거든요?"

태섭이가 이상하다는 듯 고개를 갸웃거렸다.

"아주 잘 지적했어요. 유대인들은 사람들의 눈에 띌 만큼 확연하게 돈이 많았어요. 그래서 사람들로부터 부러움과 시기를 받기 쉬웠죠. 그렇지만 사회를 위해 큰돈을 쓰지는 않더라도, 유대인들끼리 힘을 합쳐 자신들을 보호하기 위한 정치적 활동을 할 수는 있었을 텐데, 그들은 그렇게 하지 못했어요. 그래서 사람들이 그들을 미워하도록 그냥 가만히 내버려 둔 셈이 된 거죠. 법을 만들고 나라를 통치하는 데 유대인들이 적극적으로 참여해서 자신들의 의견도 말하고, 자기들의 주장을 내세웠다면, 이야기는 달라졌을 거예요. 아까 정치적 공간이 다양한 의견을 제시하고 토론하는 곳이라고 했지요? 그런 정치 활동을 통해서 비로소 인간은 인간다울 수 있다고……. 유대인들이 자신들이 가진 민족적 특성이나 현실을 잘 인식하고, 자신들과 다른 민족의 특징을 받아들이며 서로의 다양한 의견을 잘 조율했다면, 그런 비극적인 대학살은 일어나지 않았을 거예요."

"그렇지만 어른들이 정치하는 모습을 보면 만날 싸우는 거 같던데요? 그리고 유대인들과 다른 민족들이 서로 옳다고 우기면 오히려 더 심한 갈등이 일어날 수도 있잖아요?"

- 《한나 아렌트가 들려주는 전체주의 이야기》 중에서

생각 쓰기

"히틀러를 중심으로 그를 도와 유대인 학살을 실행했던 사람들이 많았지요. 그중에 아이히만이라는 사람이 있었는데 그는 최고위 공직자는 아니었지만 유대인 학살에 대해 전문가로서 활동을 했어요. 상부에서 내려오는 지시를 체계적이고 효과적으로 수행하기 위해서 아이히만은 최선의 노력을 다했고 그래서 가장 적절하게 자신에게 부여된 임무를 잘 수행했던 사람이었지요."

"아무리 그래도 나쁜 일을 저지른 사람에게 임무를 잘 수행했다고 칭찬할 수 있나요?"

주영이가 아버지의 말에 의아하다는 표정을 지었다.

"좋다 나쁘다를 떠나서 아이히만은 하급 관리로서 상부의 명령을 충실하게 이행했던 사람이라는 뜻이지요. 물론 좋은 사람이라는 뜻은 아니고요. 어쨌든, 제2차 세계대전이 끝나고 독일이 패망하자 아이히만은 독일을 떠나 아르헨티나에 정착하지요. 15년간 숨어 지내다가 결국 비밀 조직에 의해 체포되고 이스라엘에 강제 압송되어 재판을 받게 됩니다."

"히틀러는 어떻게 됐어요?"

또 용수가 물었다.

"히틀러는 제2차 세계대전이 끝난 뒤에 가족과 함께 자살을 했어요."

"재판을 받았어야 하는데 그냥 자살을 해 버리다니! 대체 유대인을 몇 명이나 죽인 거예요?"

(……)

"아렌트는 아이히만의 재판을 지켜보게 되었는데 놀랍게도 그는 흉악하게 생기지도 않았고 오히려 약하고 온순하게 생긴 사람이었어요. 여러 증언에 따르면 예의도 바르고, 또 집에서는 아주 가정적인 평범한 가장의 모습이었다는 거예요."

"세상에! 그런 사람이 양심도 없나? 아무리 상부의 지시라고 해도 그런 엄청난 일을 저지르다니!"

주영이는 혼잣말인지 질문인지 모르게 말했다.

"그렇지 않아도 자신은 직장인으로서 충실했다고 믿는 아이히만에게 검사는, 당신은 양심의 소리도 들리지 않았는가? 하고 물었대요. 그랬더니 아이히만은 이렇게 대답했답니다. '만일 내가 나에게 주어진 일을 성실하게 수행하지 않았다면 오히려 양심의 가책을 받았을 것이다' 라고요."

– 《한나 아렌트가 들려주는 전체주의 이야기》 중에서

생각 쓰기

1 선민의식

각 사회마다 경제, 정치 등 여러 가지 사회적 지위가 보통보다 우위에 있는 상류 집단이 있다. 이러한 집단에 속하는 사람들이 공통적으로 가질 수 있는 우월감, 즉 사회 안에서 다른 집단보다 낫다고 여기는 마음을 일컫는 말이다. 각 사회에서 가장 특혜를 누리고 있는 집단이 가지고 있는 의식들을 설명할 때 쓰이는 말이기도 하다.

2 고리대금업

돈을 빌려 주면서 높은 이율을 적용하여 이득을 취하는 행동을 말한다. 개인금융업의 일종으로 근대에 성행했으나 현대에 들어서면서 점차 쇠퇴하는 현상을 보이고 있다. 자본주의 경제가 발달하기 이전의 사회는 화폐 자체의 성격이 곧 물건의 가치로 통용되었기 때문에 높은 이자로 개인적 이득을 획득하기가 쉬웠다. 자본주의 시대에 들어서서도 노동자나 농민을 중심으로 한 일반 서민들은 높은 이율에도 불구하고 비교적 절차가 간편한 사금융(고리대금업)을 계속적으로 이용하고 있다.

아비투어 철학 논술

예시 답안

① 한나 아렌트는 정치철학자이다.

② 한나 아렌트는 독일에서 태어나 제2차 세계대전 때 유대인 박해를 피해 미국으로 건너갔다.

③ 한나 아렌트는 전체주의가 무엇이며, 왜 생겼는지, 정치가 왜 중요한가를 연구했다.

④ 한나 아렌트는 제2차 세계대전 전쟁 범죄자의 평범함에 주목하고 평범한 사람도 깊은 생각(반성)이 없으면 아무런 양심의 가책도 느끼지 않고 범죄를 저지를 수 있다는 것을 밝혀냈다.

주 제 탐 구 **01강** 왕따가 반장?

case 1 선생님은 선거를 통해 반장을 뽑는다는 약속을 어겼다. 민주주의는 자유로운 선거를 통하여 대표를 뽑기 때문에 우리 모두 소중하게 여기는 제도이다. 그런데 아이들의 본보기가 되어야 할 선생님께서 약속을 어긴 것은 바람직하지 않다고 본다.

또한 반장 선거는 아이들이 민주적인 선거 절차에 대해 이해하고 실천을 통해 배우는 교육 과정이다. 그러한 교육의 기회를 스스로 포기하고 우리들이 그런 교육을 받을 수 있는 기회를 강제로 빼앗는 것은 바람직하지 않다.

그러나 민주적인 절차가 항상 바람직한 결과를 낳는 것은 아니다. 만약 아이들이 민주적인 절차를 통해 승진이에게 모든 일을 떠맡긴다면, 그것은 민주적인 절차를 잘못 사용하여 잘못된 결과를 낳는 것이다. 하지만 선생님이 민주적인 절차를 통하지 않고 따돌림을 당하는 승진이에게 반장을 시킨 것은 다른 아이들에게 자신을 돌아보고 반성하는 기회를 제공할 수 있기 때문이다.

case 2 반장의 조건은 반장이 하는 역할과 관련이 있다. 반장은 반 아이들의 의견을 모으고 모아진 의견을 반 아이들과 함께 실천하는 일을 한다. 반장은 공부를 잘할 필요가 없다. 반장이 공부를 가르치는 것은 아니기 때문이다. 또한 운동을 잘할 필요도 없다. 반장이 운동을 가르치는 것은 아니기 때문이다. 뿐만 아니라 반장은 얼굴이 잘생길 필요도 없다. 반장의 역할은 얼굴을 가지고 하는 것이 아니기 때문이다. 한마디로 반장은 다른 아이들보다 뛰어나야 되는 것이 아니다.

반장은 반 아이들의 의견을 잘 모으기 위해서 자기 이야기만 하지 않고 남의 이야기를 잘 듣는 태도를 가져야 한다. 반장은 모아진 의견을 잘 실천하기 위해 성실해야 한다. 의견만 모아 놓고 게을러서 실천을 하지 않는다면 아무리 좋은 의견을 모아도 소용이 없기 때문이다.

case 3 투표용지에 내 이름을 쓸 것이다. 선거는 공정한 경쟁이기 때문이다. 경쟁에 나선 사람들은 공정한 규칙에 따라 최선을 다해야 한다. 그리고 후보로 나간다는 것은 또 다른 의미로 후보 자신이 이미 선거를 한 것이다. 반장 자리에 다른 아이들보다 자신이 적합하다고 보았기에 선택을 했다고 보여진다.

만약 자신이 반장으로서 적당하지 않다고 생각했다면 후보로 나가서는 안 된다. 투표용지에 자기 이름을 찍는 것은 당연한 일이다. 그것은 부끄러운 일도 잘못한 일도 아닌 떳떳하고 공정한 일이다.

주제 탐구 **02**강 인간은 정치적 동물?

case 1 한나 아렌트에 따르면 사람들이 유대인을 싫어한 이유는 보통 말하듯이, 그 조상이 예수님을 죽여서도 아니고, 그들이 선택된 민족이라고 믿는 선민의식 때문도 아니다. 또한 그들이 고리대금업을 했기 때문도 아니다. 그들이 자신들의 권리를 보호하고 주장하려는 정치 활동을 하지 않았기 때문이다.

나는 한나 아렌트와 생각이 다르다. 물론 유대인들이 정치 활동을 활발히 해서 권력을 잡거나 무시하지 못할 정도로 권력을 가지게 되면 아무도 유대인을 업신여기거나 괴롭히지 못할 것이다. 하지만 그런 상황에서도 겉으로는 감히 두려워서 미워할 수 없지만 속으로는 미워하거나 싫어할 수 있다. 사람들이 유대인을 싫어한 이유는 유대인들이 돈을 모으기만 했지 충분히 베풀지 않았기 때문이라고 생각한다. 만약 돈 많은 유대인들이 그 돈으로 가난한 이웃을 도왔다면 도움을 받는 이웃은 그들을 미워하거나 싫어하지 않았을 것이기 때문이다.

또는 유대인들은 자신들이 가진 민족적 특성이나 현실을 잘 인식하고, 자신들과 다른 민족의 특징을 받아들이며 서로의 다양한 의견을 잘 조율했다면, 다른 민족과의 갈등이 없었을 것이다.

case 2 아이히만은 온순하고 예의 바르며 가정적이고 성실한 사람이었으므로 양
심이 전혀 없었던 사람은 아닐 것이다. 오히려 그는 매우 성실한 사람이었
기 때문에 그런 잔인한 학살을 그렇게 성실(?)하게 할 수 있었을 것이다. 성실하다는
것은 좋은 것이다. 하지만 성실한 사람은 그것이 좋은 일이든 나쁜 일이든, 뭐든지 성
실하게 한다. 자신이 하는 일이 도덕적으로 옳은 일인지 나쁜 일인지 판단하지 않고
무조건 그 일을 하는 데만 성실하면 아이히만과 같은 엄청난 범죄도 아무런 양심의
가책 없이 저지를 수 있는 것이다. 성실한 것도 좋지만 옳고 그름을 가리는 것이 더
중요하다.

철학자가 들려주는 철학이야기 005

맹자가 들려주는 대장부 이야기

저자_김광식

서울대학교 철학과에서 학사·석사 과정을 마치고 독일 베를린 자유대학교 철학과에서 박사과정을 마쳤다. 저서로는《사회철학대계 4: 기술시대와 사회철학》(공저)이 있고, 역서로는《흄 —나는 존재하지 않는다》,《마르크스 정치경제학의 변증법적 방법 I, II》(공역),《철학대사전》(공역) 등이 있으며, 논문으로는〈본질과 현상의 범주를 통해 본 인식들 사이의 모순의 문제〉,〈사이버네틱스와 철학〉등이 있다. 서양철학과 동양철학을 비교하는데 많은 관심을 가지고 있다.

맹자

孟子

다음 글을 읽고 맹자가 누구인지, 그리고 왜 위대한 사람으로 불리는지 요약하시오.

맹자는 약 2,400년 전에 중국에서 태어난 사상가이다. 맹자의 원래 이름은 '가(軻)'이며, '맹자'는 높여서 부르는 이름이다.

맹자가 태어난 시대는 전국시대라고 하며 '싸우는 나라들의 시대'라는 뜻이다. 그 시대에는 여러 나라들이 서로 더 힘 있고 좋은 나라를 만들려고 경쟁을 했고, 242년 동안 무려 460번의 전쟁을 했다고 한다.

그리고 여러 사상가들이 고민하여 수많은 생각들을 내놓았다. 여러 사상가들과 그들의 수많은 생각들을 '제자백가'라고 한다. 맹자는 그 제자백가 가운데 한 사람이다.

맹자는 사랑을 최고의 덕목으로 삼는 공자의 유교 사상을 발전시켜 사랑, 옳음, 예의, 지혜의 사상으로 만들었다. 사람은 모두 그러한 착한 마음들을 가지고 태어나며, 왕을 비롯한 모든 사람이 덕을 베풀며 살면 좋은 세상이 된다고 생각했다.

하지만 싸움에 정신이 팔린 왕들은 힘이 아니라 덕으로 다스리라는 맹자의 말을 코웃음을 치며 무시했다. 할 수 없이 맹자는 왕들을 설득하는 것을 포기하고 제자들을 교육하고 책을 쓰는 일에 전념하다 84세의 나이로 세상을 떠났다. 맹자는 세상을 떠났지만 맹자의 말들은 《맹자》라는 책에 적혀 오늘날까지 우리들에게 좋은 가르침을 주고 있다.

생각 쓰기

주 요 개 념 및 배 경 지 식

1 전국시대가 뭐야?

　고대 중국의 한 시대를 일컫는 말로, 싸우는 나라들의 시대란 뜻이다. 서로 뺏고 뺏기는 싸움이 무려 460번이나 있었다고 한다. 진나라, 초나라, 연나라, 제나라, 한나라, 위나라, 조나라 등 일곱 개의 나라가 서로 더 힘 있고 부유하고 살기 좋은 나라를 만들기 위해 경쟁했다. 결국 가장 힘 있고 부유한 나라를 만든 진나라의 진시황에 의해 중국은 통일되었다.

2 제자백가는 뭐지?

　고대 중국의 전국시대에 활동했던 수많은 학자들과 학파들을 일컫는 말이다. '제자'란 수많은 학자를 뜻하고, '백가'란 수많은 학파를 뜻한다. 부강해지기를 원하는 많은 나라들은 좋은 생각이 필요했다. 그래서 유가, 도가, 묵가를 비롯한 수많은 학자들과 학파들이 쏟아져 나온 것이다.

3 유교가 뭐야?

중국의 공자가 만든 사상이다. '공자교'라고도 한다. 유교는 세상을 살아가는 과정에서 가장 중요한 덕목을 사랑으로 여긴다. 첫째, 사랑으로 먼저 자신을 다스려 어진 사람이 되고 둘째, 사랑으로 가족을 다스려 화목하게 하며 셋째, 사랑으로 나라를 다스려 평온하게 하고, 마지막으로 사랑으로 세상을 다스려 평화롭게 만들 수 있다는 것이 유교의 기본적인 생각이다.

— 관련 교과: 《사회 6-1》, 〈유교를 정치의 근본으로 삼은 조선〉

4 공자가 누구지?

고대 중국에서 태어나 유교 사상을 만든 사상가이다. 원래의 이름은 구(丘)이며, 공자는 높여 부르는 이름이다. 그는 법이 아니라 사랑으로 살기 좋은 세상을 만들려고 했다. 왕을 비롯하여 모든 사람들이 사랑을 실천하며 살면 살기 좋은 세상이 된다고 믿었다. 하지만 그의 사상은 실패했다.

그 이후 제자들을 데리고 여러 나라로 돌아다니며 그의 생각을 전하는 일에 힘쓰다 74세의 나이로 세상을 떠났다. 그는 세상을 떠났지만 그의 말은 《논어》라는 책에 남아 오늘날까지 우리들에게 좋은 가르침을 주고 있다.

01강 참 교육 찾아 삼만 리!

case 1 맹자의 어머니가 자식의 공부를 위해 세 번씩이나 이사를 갔다는 이야기가 있다. 그것을 '맹모삼천지교'라고 한다. 아래의 이야기 ㉮와 ㉯는 현대판 '맹모삼천지교'라고 할 수 있는데, 각각의 경우에 이사를 가지 않고도 공부를 시키는 방법에 대해 생각해 보고, 여러분이 부모님이라면 어떻게 할지, 또는 여러분의 부모님이 어떻게 해 주었으면 좋을지 여러분의 생각과 그 이유를 설명하시오.

– 관련 교과: 〈자식 사랑, 어버이 사랑〉, 《국어 6-2》, 〈성실한 생활〉, 《도덕 6》

㉮ 이사를 한 곳은 코딱지만 한 집들이 다닥다닥 엄청 많이 붙어 있는 동네였다. 그렇지만 낮이고 밤이고 사람들이 별로 지나다니지 않아 무척이나 조용했다. (……) 이 동네는 연세가 많으신 할아버지, 할머니들이 많아서 자주 초상이 났다. 나는 동네의 초상집마다 찾아다니면서 구경도 하고 음식도 얻어먹었다. (……)

"아이고, 아이고, 아이고, 아이고."

어느 날 이러다가 엄마한테 딱 걸렸다. 집에서 혼자 초상집에서 본 사람들의 곡소리를 흉내 내고 있는데, 그날따라 일찍 돌아온 엄마가 깜짝 놀라

방문을 벌컥 여셨다.

"너 이게 무슨 짓이냐? 하란 공부는 안 하고 곡소리나 흉내 내고 있다니!"
(⋯⋯) 나는 또 무지하게 맞았다. 결국 다음 날, 엄마는 또 이삿짐을 싸셨
다. 나는 뭐, 나쁠 것도 없었다. 달동네는 너무 심심했으니까. 그래서 이사
를 온 곳이 바로 이곳이다. 이곳으로 말할 것 같으면 대학생 형과 누나들이
다니는 철학대학교 앞이다. 학생들이 많이 사니까 집값도 싸고 우리나라에
서 제일 큰 도서관도 있어서 공부하기엔 '딱'이란다. 우리 엄마 말씀!

- 《맹자가 들려주는 대장부 이야기》 중에서

④ 이사를 한 곳은 성냥갑 같은 아파트들이 다닥다닥 엄청 많이 붙어 있는
동네였다. 놀이터에서 노는 아이들이 별로 없어 무척이나 조용했다. 아이
들은 아침이면 성냥갑 같은 아파트에서 나와 하루 종일 학교와 학원에서 공
부를 하고 밤늦게야 집으로 돌아와 잠을 자는 것이었다.

그러던 어느 날, 우리 반에 한 아이가 시골에서 전학을 왔다. 그 아이는 학
원을 다니지 않는다. 매일 방과 후 운동장에서 혼자서 축구를 한다. 같이 놀
고 싶어 학원도 빼먹고 같이 축구를 했다. 아이들이 하나 둘씩 늘어났다. 하
지만 꼬리가 길면 잡히는 법이다. 어느 날, 친구 엄마에게 전화가 왔다.

"놀리면 혼자 놀리지, 우리 아이까지 학원도 빼먹고 놀게 하냐고요! 로마

에 가면 로마법에 따라야 하는 거 아니에요? 학원 보내는 거 싫고 놀리고 싶으면 괜히 남의 아이들 물들이지 말고 이사를 가세요!"

결국 다음 달, 엄마는 또 이삿짐을 싸셨다. 나는 뭐, 나쁠 것도 없었다. 이 동네도 너무 심심했으니까. 그래서 이사를 온 곳이 바로 이 시골이다. 이곳으로 말할 것 같으면 우리나라에서 공기가 제일 좋다는 산들이 즐비하게 늘어서 있는 우리나라에서 제일 살기 좋은 산골이다. 매연을 내뿜는 공장들이 없어 집값도 가장 싸고, 그 많은 학원들도 없어서 놀기엔 '딱' 이란다. 우리 엄마 말씀!

– 《맹자가 들려주는 대장부 이야기》 중에서

생각 쓰기

----

case **2** 맹자의 어머니는 맹자가 장사꾼 흉내를 낸다고 이사를 갔다. 아래의 이야기들을 읽고 어린이들이 장사를 배우거나 장사를 하는 것에 대해 어떻게 생각하는지 논술하시오.

– 관련 교과: 〈가정의 경제생활〉, 《사회 4-2》, 〈일과 직업의 세계〉, 《실과 6》

㉮ 아, 정말 싫다. 벌써 세 번째 이사다. (……) 엄마는 시장 통에서 김밥을 파셨다. (……) 엄마는 시장 통을 싫어하셨다. 너무 시끄럽고 지저분해서 내가 자라기엔 좋지 않은 환경이라는 이유에서였다. (……)

"김밥을 한 줄이라도 더 팔아서 어서 이곳을 떠야지."

엄마는 늘 이 말을 입에 달고 사셨다. (……) 나는 가끔은 시장 아줌마, 아저씨들의 장사를 도왔기 때문에 귀여움을 독차지했다. 그러던 어느 날, 내가 장사꾼 흉내를 내면서 놀고 있다는 소문을 들은 엄마가 김밥을 싸다 말고 김발을 들고 쫓아오셨다.

"오늘은 배추가 싸예! 무지 싸예! 어! 어……, 엄마!"

"이놈이! 하라는 공부는 안 하고!"

엄마는 마침 배추를 팔고 있던 나를 향해 돌진하셨다. (……) 무지하게 맞았다. (……) 그리고 다음 날, 엄마는 당장 이삿짐을 싸셨다. 나는 시장 통을 떠나는 것이 슬펐지만 할 수 없었다. 엄마가 울까 봐 겁이 났다.

– 《맹자가 들려주는 대장부 이야기》 중에서

❹ 아, 정말 떨린다. 내가 직접 만든 김밥을 팔아 보는 것은 오늘이 처음이다. 엄마는 시장 통에서 김밥을 파셨다. 엄마는 시장 통을 좋아하셨다. 시장에서 일하는 사람들이 인정이 많다고 하셨다. 게다가 여러 사람들을 만날 수 있고, 엄마가 만든 김밥을 배고픈 사람들이 사서 맛있게 먹는 것을 보면 기쁘다는 이유에서였다.

"김밥을 한 줄이라도 더 팔아서 고아원 아이들에게 맛있는 것을 사 줘야지."

엄마는 늘 이 말을 입에 달고 사셨다. (……) 나는 가끔은 시장 아줌마, 아저씨들의 장사를 도왔기 때문에 귀여움을 독차지했다. 그러던 어느 날, 내가 장사꾼 흉내를 내면서 놀고 있다는 소문을 들은 엄마가 배추 장사를 돕고 있는 나를 찾아오셨다.

"오늘은 배추가 싸예! 무지 싸예! 어! 어……, 엄마!"

"물건 파는 게 그렇게 재밌어? 물건에는 물건을 만든 사람의 사랑과 정성이 들어 있단다. 네가 파는 배추를 기르기 위해 농부들이 얼마나 많은 사랑과 정성을 쏟았겠니? 배추를 싸게만 판다고 좋은 게 아니란다. 농부들이 쏟은 사랑과 정성에 걸맞는 값을 받아야지. 배추가 싸다는 것보다 싱싱하고 맛있다고 말해 봐!"

하라는 공부는 안 하고 배추 장사를 한다고 야단을 치실 줄 알았는데 오히려 장사하는 법을 가르쳐 주셔서 놀랐다. 머뭇머뭇거리는 나를 보자, 엄마가 시범을 보이셨다.

"배추가 무지 싱싱하고 맛있어예!"

엄마와 함께 배추를 파니 무지하게 신났다. 금세 배추가 동이 났다. 그리고 다음 날, 엄마는 내게 김밥을 싸는 법을 가르쳐 주셨다.

"직접 만든 물건에 더 정이 가는 법이야. 자신의 사랑과 정성이 들어 있는 물건을 함부로 싸게 팔 수 없겠지? 이 김밥을 내다 팔아서 번 돈으로 고아원 아이들에게 맛있는 것을 사 주자! 혼자서만 잘 먹고 잘살겠다고 돈을 버는 것보다 나누어 주기 위해 돈을 버는 것이 더 아름답지 않겠니?"

나는 김밥을 싸는 것이 힘들었지만 힘든 기색을 보일 수 없었다. 엄마가 실망할까 봐 겁이 났다.

– 《맹자가 들려주는 대장부 이야기》 중에서

생각 쓰기

가 맹자가 공부를 했던 학교는 《중용》이라는 책을 쓴, 공자의 손자인 자사가 세운 학교였다. (……) 맹자는 처음에는 열심히 학교에 다녔지만 얼마 정도 시간이 지나자 게으름을 피우기 시작했다. 어느 날, 맹자는 공부하기가 싫어 수업을 다 마치지도 않고 집으로 돌아왔지. 마침 어머니는 베를 짜고 있었다. 어머니는 게으름을 피우는 맹자를 크게 깨우치지 않으면 안 되겠다고 생각하고 짜고 있던 베를 칼로 싹둑 자르고 말았단다. (……)

"가야, 무슨 일이든지 처음부터 끝까지 해내야 한다. 중간에 그만두면 엄마가 잘라 버린 이 베처럼 쓸모가 없게 되는 법이란다. 네가 공부를 시작했다가 중간에 열심히 하지 않고 게으름을 피우면 결국은 공부도 완성하지 못하고 훌륭한 사람도 되지 못한다. 그러니 앞으로는 부지런히 공부를 하기 바란다." (……)

– 《맹자가 들려주는 대장부 이야기》 중에서

나 해설: 한석봉이 드디어 글공부를 마치고 집으로 돌아왔습니다.

어머니: 그래, 글공부는 많이 했느냐? 어디 한번 보자. 불을 끄고, 나는 떡을
　　　　썰 테니, 너는 글을 써라.

해설: 불을 켜자, 떡은 가지런한데, 글은 형편이 없었습니다.

어머니: 이것 봐라. 이래서야 나중에 큰 인물이 어찌 되겠느냐? 도로 가거라.
　　　　가서 글공부를 제대로 하여라. 그런 다음에 돌아오너라.

– 관련 교과: 〈한석봉과 어머니〉, 《도덕 5》

다 누가 내 머리에서
　　컴퓨터 좀 꺼 주세요.
　　눈 감아도 꿈속에서도
　　꺼지지 않는 컴퓨터 화면
　　컴퓨터 화면 속 전사들은 계속 싸우고 있어요.

– 관련 교과: 〈꺼지지 않는 컴퓨터〉, 《국어 6-2》

생각 쓰기

주 요 개 념 및 배 경 지 식

1 '맹모삼천지교'가 뭐야?

맹자의 어머니가 세 번씩이나 이사를 하며 자식을 가르쳤다는 뜻으로 환경이 교육에 미치는 영향이 중요하다는 말이다. 처음에 공동묘지 근처에서 살던 맹자는 곡하는 흉내를 내고 놀았다. 그래서 이를 염려한 맹자의 어머니는 시장 근처로 이사를 했는데 이번에는 장사꾼 흉내를 내며 노는 것이었다. 그래서 다시 학교 근처로 이사를 했더니 공부하는 것을 흉내 내며 놀았다고 한다. 훗날 맹자가 위대한 학자가 된 것은 바로 이러한 어머니의 교육 환경을 생각한 지극한 보살핌 때문이었다.

2 '맹모단기'는 뭐지?

맹자의 어머니가 베틀의 실을 끊었다는 뜻으로 무슨 일이든 중간에 그만두면 아무런 쓸모가 없다는 말이다. 맹자가 어느 날 하던 공부를 그만두고 집에 돌아왔다. 마침 베를 짜던 어머니는 짜고 있던 베틀의 실을 끊었다. 맹자가 어머니에게 까닭을 묻자 "네가 공부를 그만둔 것은 베틀의 실을 끊은 것과 같다. 무슨 일이든 중간에 그만두면 아무런 쓸모가 없다"

며 꾸짖었다. 후에 맹자는 다시 열심히 공부하여 위대한 학자가 되었다.

3 《중용》이 뭐야?

유교 경전의 하나로, 공자의 손자인 자사가 썼다고 한다. '중용'이란 어느 한쪽으로도 치우치지 않는 것을 말한다. 너무 많이 먹으면 배탈이 나고, 너무 적게 먹으면 배가 고픈 이치와 같다. 《중용》은 인간의 본성은 '성실한 마음'이며 성실한 마음으로 모든 일을 하는 것이 사람의 도리라고 했다. 모든 사람이 성실하고 한쪽으로 치우치지 않게 살면 살기 좋은 세상이 된다는 보석 같은 가르침이다.

4 한석봉이 누구지?

조선시대에 뛰어난 글씨로 유명한 서예가이다. 본래의 이름은 호(濩)이며, 석봉은 따로 지은 이름이다. 명나라로 가는 사신을 따라가거나 명나라의 사신을 맞을 때 뛰어난 글씨로 이름을 떨쳤다고 한다. 김정희와 함께 뛰어난 글씨로 쌍벽을 이룬다.

– 관련 교과: 〈한석봉과 어머니〉, 《도덕5》

02강 대장부 찾아 구만 리!

case 1 맹자에 따르면 안정된 직업이나 재산이 없으면 안정된 마음을 가질 수 없다고 한다. 이것을 '무항산 무항심'이라고 한다. 아래의 이야기들을 읽고 여러분이 판사가 되어 장 발장의 행위를 판결하고 그 까닭을 논술하시오.
– 관련 교과: 〈너그러운 마음〉, 《도덕 6》, 〈국민의 권리를 보호하는 법원〉, 《사회 6-2》

가 백성은 일정한 직업이 없으면 한결같은 마음을 가질 수 없습니다. 한결같은 마음이 없으면 하지 않는 짓이 없게 됩니다. 그렇게 죄에 빠진 다음에 벌을 준다면, 그것은 백성을 짐승 잡듯이 그물로 잡는 것과 같습니다. 그러므로 훌륭한 임금은 백성들에게 일정한 직업을 만들어 주어 (……) 풍년에는 배불리 먹고 흉년에도 죽음을 면하게 해 줍니다. 지금은 (……) 죽음을 면하기에도 넉넉하지 못한데 어느 겨를에 예의를 차리겠습니까?

– 《맹자가 들려주는 대장부 이야기》 중에서

나 어느 추운 겨울날, 장 발장은 빵 가게 앞에 멈추어 섰다. 갓 구운 맛있는 빵이 놓여 있었다. 장 발장의 배에서는 꼬르륵 소리가 났다. 때마침 가게 주인이 자리를 비웠다. 장 발장은 더 이상 생각하지 않고 빵을 훔쳐 도망쳤다.

178

장 발장은 곧 잡히고 말았다. 장 발장은 재판을 받게 되었다.

검사: 남의 물건을 훔친 사람은 당연히 벌을 받아야 합니다.

변호인: 장 발장은 잘못을 저질렀습니다. 하지만 가난이 죄를 짓게 했습니다. 빵 하나 못 먹는 배고픈 가난한 사람을 국가가 보살피지 않고 그대로 내버려 둔 것이 잘못입니다.

검사: 가난하다고 모두 빵을 훔치지는 않습니다. 가난하지만 착하게 사는 사람들이 더 많습니다. 더구나 가난하게 된 것은 게을러서 일을 열심히 하지 않았기 때문입니다. 가난은 국가의 책임이 아니고 개인의 책임입니다. 마땅히 그가 저지른 죄에 맞는 벌을 주어야 합니다.

– 관련 교과: 〈국민의 권리를 보호하는 법원〉, 《사회 6-2》

생각 쓰기

----

case 2 맹자는 사람이 본래 착한 것은 마음속에 사랑, 옳음, 예의, 지혜가 있기 때문이라고 했다. 사람이 그러한 네 가지 덕을 가지고 있다는 것을 알 수 있는 까닭은 불쌍하게 여기는 마음, 자신의 잘못을 부끄러워하고 남의 잘못을 미워하는 마음, 사양하는 마음, 옳고 그름을 가리는 마음을 가지고 있기 때문이다. 이 네 가지 실마리 가운데 어떤 실마리를 따라가면 어떤 덕을 찾을 수 있다고 생각하는지, 그리고 왜 그렇게 생각하는지 여러분의 경험을 바탕으로 논술하시오.

맹자 형님: 우리 아까 인간의 본성이 착한 증거를 뭐라고 했지?

철구: 남을 불쌍히 여기는 마음, 측은지심! 나의 잘못을 부끄러워하고 남의 잘못을 미워하는 마음, 수오지심! 사양하는 마음, 사양지심! 옳고 그름을 가리는 마음, 시비지심! 이렇게 모두 네 가지의 마음이 바로 그 증거입니다!

맹자 형님: 그래, 잘 했다. (……) 자, 이번엔 남을 불쌍하게 여기는 마음, 측은지심을 바로 실마리라고 하자. 그렇다면 그 실마리를 따라가다 보면 실에는 무엇이 매어져 있을 것 같니? (……)

똑똑이: 음, 아까 네 가지 실마리로 네 가지 덕을 알 수 있다고 했으니까…… 사랑 인! 옳음 의! 예의 예! 지혜 지! 중 하나겠네요? 그럼 혹시 사랑?

맹자 형님: 그래 똑똑이도 잘했다. 우리가 사랑을 가지고 있다는 것은 측은

지심이라는 실마리를 통해 알 수 있다. 단맛이 나는 실마리를 따라가면 사탕을 발견하게 되듯이, 남을 불쌍하게 여기는 마음을 따라가다 보면 결국 그 끝에 매달려 있는 사랑을 볼 수 있을 것이다. (……) 또 인간에게는 자신의 잘못을 부끄러워하고 남의 잘못을 미워하는 마음, 수오지심이 있다. (……) 수오지심의 실마리를 따라가다 보면 역시 네 가지 덕 중 하나인 의(義)가 나온다. 결국 인간은 옳은 것이 무엇인지 알기 때문에 자신의 잘못을 부끄러워하는 것이지.

똑똑이, 똑순이, 철구: 옳은 것이 무엇인지 알기 때문에 남의 잘못을 미워할 수 있는 것이지요!

맹자 형님: 하하하, 녀석들.(……) 사양하는 마음, 사양지심을 따라가다 보면, 그 끝에는 네 가지 덕 중 하나인 예(禮)가 있다. 우리는 예가 있기 때문에 사양하는 마음을 갖게 되는 거다. 알겠니? (……) 또 옳고 그름을 가리는 마음, 시비지심의 실마리를 잡고 따라가다 보면 그 끝에는 바로 지혜가 있다. 우리는 지혜가 있기 때문에 옳고 그름을 구별할 수 있는 거다.

－《맹자가 들려주는 대장부 이야기》 중에서

case **3** 덕으로 하는 정치를 왕도정치라고 하고 힘으로 하는 정치를 패도정치라고 한다. 아래의 글들을 읽고 국민들의 생각을 무시하고 자신의 생각대로만 정치를 하고 자신을 반대하는 사람들을 힘으로 위협하는 임금에게 올리는 상소문을 아래의 이야기들을 바탕으로 하여 써 보시오.

– 관련 교과: 〈최승로의 시무28조〉, 《사회 6-1》, 《임금의 명령》, 《국어 6-2》

가 양왕: 천하가 여러 나라로 쪼개져 서로 다투고 있습니다. 천하가 장차 어떻게 되겠습니까?

맹자: 하나로 통일될 것입니다.

양왕: 누가 하나로 통일할 수 있을까요?

맹자: 사람을 죽이기를 좋아하지 않는 사람이 하나로 통일할 수 있을 것입니다.

양왕: 누가 함께 할까요?

맹자: 함께 하지 않는 사람이 없을 것입니다. 왕은 풀이나 나무의 싹에 대해 아십니까? 칠월, 팔월 사이에 가물면 싹이 말랐다가, 하늘에 뭉게구름이 일어나 쏴아 하고 비를 내리면 싹이 부쩍 일어납니다. 이와 같으면 누가 막을 수 있겠습니까? 지금 천하의 임금들은 사람 죽이기를 좋아하지 않는 사람이 없습니다. 만일 사람을 죽이기를 좋아하지 않는 사람이 있으면, 천하의 백성들이 목을 빼고 그를 기다릴 것입니다. 참으

로 이와 같다면 백성들이 그에게 몰려가는 것이 마치 물이 아래로 콸
콸 내려가는 것과 같을 것입니다. 누가 막을 수 있겠습니까? 왕께서는
백성들을 사랑하는 정치로 돌아가십시오. 지금 왕이 백성을 사랑하는
정치를 베풀어서 천하의 벼슬하는 사람들이 모두 왕의 조정에 서기를
원하고, 농사하는 사람들이 모두 왕의 들에서 농사하기를 원하고, 장
사하는 사람들이 모두 왕의 시장에서 장사하기를 원하고, 여행하는
사람들이 모두 왕의 길에 나서기를 원한다면, 누가 그것을 막을 수 있
겠습니까?

– 《맹자가 들려주는 대장부 이야기》 중에서

❹ 하늘에서 해님과 구름이 숨바꼭질을 하며 놀고 있었어요. 시샘이 난 바
람이 구름에게 잘난 척을 하고 싶어서 해님에게 내기를 하자고 했어요.

"그런데 무슨 내기를 하죠?"

해님이 물었어요.

"어떤 내기든 말해 봐요."

바람은 자신의 힘을 믿고 무슨 내기든 해님을 이길 수 있다고 자신했어요.

"바람님이 내기를 하자고 했으니 무슨 내기를 할지 먼저 말해 봐요."

그때 마침 한 나그네가 외투를 입고 들판을 걸어가고 있었어요.

"저 사람의 외투를 먼저 벗기기 시합을 하면 어떨까요?"

바람이 자신 있게 제안했어요.

"좋아요!"

해님이 대답했어요.

바람은 자신만만하게 있는 힘을 다해 거센 바람을 보냈어요. 그러자 넓은 들판에 갑자기 거센 바람이 불었어요. 나그네는 옷깃을 여미며 말했어요.

"아니, 왜 갑자기 이렇게 춥지?"

바람이 입김을 강하게 불면 불수록 나그네는 더 옷깃을 단단히 여미었어요.

"어유, 추워! 해님은 어디 갔담?"

바람은 끝내 나그네의 외투를 벗길 수 없었어요. 이제 해님이 환한 미소를 띠며 나타났어요.

"이젠, 제 차례랍니다!"

해님이 따뜻한 햇볕을 비추었어요. 나그네는 땀을 흘리며 말했어요.

"바람이 세차게 불더니 또 갑자기 햇살이 비추다니 이건 무슨 일이람?"

나그네는 외투를 벗어던졌어요. 해님이 방긋 웃으며 말했어요.

"바람님, 이 세상에는 힘만 가지고는 되지 않는 일도 있답니다."

잘난 척하려던 바람은 부끄러워져서 그만 도망을 갔어요.

─《이솝우화》 중에서

ⓓ 어느 날, 임금이 신하들과 함께 높은 산 위에 올라 백성들이 사는 모습을 구경했습니다. 길에는 많은 사람들이 나와서 북적거렸습니다. (……)

"백성들이 다니는 모습이 질서가 없구나. 저러다가 무슨 사고가 나지 않겠느냐? (……) 여봐라, 나라의 모든 길에 방향을 정하여, 모든 백성들이 한쪽으로만 다니게 하라."

(……) 어기는 사람은 잡아다 벌을 주니, 백성들이 모두 잘 따랐습니다. 그러나 한번 가면 그 길로는 다시 돌아올 수 없었으므로 영영 집으로 돌아가지 못하는 사람도 있었고, 막다른 골에서 오도 가도 못하고 굶어 죽는 사람도 생겼습니다. 그래도 길에서 서로 부딪히는 일은 없었으므로 임금과 신하들은 아주 만족하였습니다. (……)

또 어느 날, 임금은 높은 누각에 올라가 백성들이 사는 모습을 구경했습니다. (……) 신하가 한 걸음 앞으로 나아가 공손히 아뢰었습니다.

"(……) 도중에 옆길로 빠져 나가는 사람도 있고, 중간에 다른 길에서 들어와 줄 가운데로 들어오는 사람도 있어서 말썽입니다. 원컨대, 모든 길에 표지판을 세워서 다른 길로 가지 못하게 하옵소서."

임금은 신하를 크게 칭찬하며 그대로 시행하도록 명령했습니다. (……) 어느 날, 바람이 몹시 세차게 불어 바닷가에서 왼쪽으로 구부러지게 되어 있는 화살표 표지판 하나가 빠져 날아가 버렸습니다. 줄지어 걸어가던 백성들은 구부러진 화살표가 없어졌으므로 똑바로 가는 수밖에 없었습니다.

(……) 맨 앞에 가던 사람이 별수 없이 바다로 들어갔습니다. 줄지어 뒤따르던 사람들도 하나씩 하나씩 바다로 들어가게 되었습니다. (……) 이윽고 모든 백성은 바다로 들어가 사라져 버리고 말았습니다.

– 관련 교과: 〈임금의 명령〉, 《국어 6-2》

생각 쓰기

----

case 4 큰 뜻을 품고 그것을 이루기 위해 꾸준히 노력하는 사람을 대장부라고 한다. 아래의 이야기를 읽고 사랑이 가득한 사람, 옳은 사람, 예의 바른 사람, 지혜로운 사람 중에 맹자가 어떤 사람을 대장부라고 하는지 밝혀내고, 여러분은 어떤 사람을 대장부라고 생각하는지, 그 까닭은 무엇인지 논술하시오.

세상의 넓은 곳으로 나가서,

세상의 바른 자리에서

세상의 큰 도를 행하는 사람

뜻이 받아들여지면 백성과 그 뜻을 함께 행하고

뜻이 받아들여지지 않으면 홀로 그 도를 행하는 사람

부유하고 높은 자리에 있어도 도리에 어긋나지 않고

가난하고 낮은 자리에 있어도 지조가 변하지 않으며,

위협과 무력에도 뜻을 굽히지 않을 수 있는 사람

그를 일컬어 대장부라 부른다.

– 《맹자가 들려주는 대장부 이야기》 중에서

생각 쓰기

주 요 개 념 및 배 경 지 식

1 '무항산 무항심'이 뭐야?

항산이 없으면 항심이 없다는 말로, 안정된 직업이나 재산이 없으면 안정된 바른 마음을 유지하기가 어렵다는 뜻이다. 임금을 하늘로 생각하던 시대에 백성을 하늘로 생각하고 그들이 안정된 생활을 할 수 있도록 보살피는 것이 임금의 도리라는 것을 강조하는 말이다.

2 '성선설'은 뭐지?

맹자가 주장한 것으로 사람의 본성은 본래 착하다는 뜻이다. 맹자에 따르면 모든 사람은 착한 싹을 가지고 태어나며 그 싹을 잘 기르면 넉넉한 덕으로 자라 성인군자가 될 수 있다. 나쁜 사람이 있다면 그 사람이 본래 나쁜 사람으로 태어나서가 아니라 타고난 착한 싹을 잘 기르지 못해 싹을 틔우지 못한 까닭이다.

3 '4덕과 4단'이 뭐야?

'4덕'이란 모든 사람이 본래 가지고 있는 네 가지 덕을 말한다. '덕'이란 착한 행동을 하려는 착한 마음을 뜻한다. 맹자에 따르면, 사람이면 누구나 사랑하는 마음, 옳은 마음, 예의 바른 마음과 지혜로운 마음을 가지고 있다고 한다. '4단'이란 모든 사람이 본래 네 가지 덕을 가지고 있다는 것을 알아낼 수 있는 네 가지 실마리이다. 불쌍히 여기는 마음을 따라가면 사랑하는 마음을, 자신의 잘못을 부끄러워하고 남의 잘못을 미워하는 마음을 따라가면 옳은 마음을, 사양하는 마음을 따라가면 예의 바른 마음을, 옳고 그름을 가리는 마음을 따라가면 지혜로운 마음을 찾을 수 있다.

4 '대장부'와 '호연지기'는 뭐지?

'대장부'란 원래 큰 어른 남자라는 말로, 참으로 남자다운 남자를 가리키는 말이다. 맹자에 따르면, 대장부란 올바른 큰 뜻을 품고 돈이나 지위나 권력에 흔들리지 않고 다른 사람과 더불어서든 혼자서든 그 뜻을 이루기 위해 꾸준히 노력하는 사람이다. 대장부가 되기 위해서는 호연지기를 길러야 한다. '호연지기'란 지극히 크고 굳센 올바른 기운을 말한다. 올바른 큰 뜻을 막는 모든 유혹을 뿌리치기 위해서는 그같이 크고 굳센 기운이 필요한 것이다. 호연지기는 말이 아니라 옳은 행동을 자발적으로 행하는 가운데 길러진다.

아비투어 철학 논술

예시 답안

① 맹자는 중국 전국시대에 살았다.

② 그는 살기 좋은 나라를 만들기 위해 수많은 생각을 내놓은 제자백가 가운데 한 사람으로 사랑을 최고의 덕목으로 삼는 공자의 유교 사상을 발전시켰다.

③ 그는 누구나 태어나면서부터 사랑, 옳음, 예의, 지혜를 가지고 있다고 생각했다. 그리고 힘이 아닌 덕으로 세상을 다스리면 살기 좋은 세상을 만들 수 있다고 생각했다.

④ 그의 생각이 받아들여지지는 않았지만 《맹자》라는 책에 남아 있어 오늘날까지 많은 가르침을 주고 있다.

⑤ 맹자는 인간은 원래 착하며 그 착한 마음으로 세상을 살거나 다스리면 살기 좋은 세상을 만들 수 있다는 가르침으로 유교를 받아들인 나라들을 살기 좋은 나라로 만드는 데 이바지하였기 때문에 위대한 사상가로 존경을 받았다.

주 제 탐 구 **01강** 참 교육 찾아 삼만 리!

case 1 ㉮의 경우, 문제는 공부를 이끌어 줄 방과 후 선생님과 놀이 친구가 없다는 점이다. 하지만 달동네에는 공공 기관이나 시민 단체에서 운영하는 공부방이 많다. 그곳에 보내면 놀이 친구들도 많고 공부를 보살펴 줄 선생님들도 계시며, 재미있는 책도 마음껏 빌려 볼 수 있을 것이다. 굳이 대학교 근처로 이사를 가야만 공부를 잘 시킬 수 있다는 편견은 버려야 한다.

㉯의 경우, 문제는 공부가 아니라 친구들과 마음껏 놀 수가 없다는 데 있다. 하지만 공부뿐만 아니라 친구들과 어울려 노는 것도 중요하다는 생각을 가지고 있는 부모들도 있을 것이다. 그런 부모들과 놀이 공동체를 꾸려 함께 놀이도 하고 박물관 견학이나 현장 체험 활동도 하고 또 짬짬이 봉사 활동도 한다면 그야말로 참 교육을 할 수 있을 것이다. 굳이 시골로 이사를 가야만 참 교육을 시킬 수 있다는 편견은 버려야 한다.

case 2 교육을 하는 목적은 어린이들이 앞으로 어른이 되어 사회생활을 잘해 나갈 수 있는 능력을 길러 주는 데 있다. 경제생활은 사회생활에서 큰 몫을 차지한다. ㉯에서처럼 자기가 직접 만든 물건을 직접 팔아 보고 또 그렇게 번 돈으로 자기에게 필요한 물건을 직접 사거나 가난한 아이들에게 필요한 물건을 사 주다 보면 경제활동이 어떻게 이루어지는지, 그리고 번 돈을 어떻게 가치 있게 쓸 수 있는지를 직접 체험하면서 배울 수 있다.

㉮의 엄마나 맹자의 엄마처럼 어린이들은 공부만 해야 하고 경제활동을 배울 필요가 없다는 생각은 잘못이다. 장사꾼 흉내를 내는 아이에게 공부는 안 하고 쓸데없는 짓을 한다고 야단만 칠 것이 아니라 경제 활동의 올바른 의미를 체험을 통해 배울 수 있도록 도와주는 것이 옳다고 생각한다.

case 3 ㉮의 글에서 맹자의 어머니는 짜고 있던 베를 잘라 버림으로써, 게으름을 피우면 공부도 완성하지 못하고 훌륭한 사람도 되지 못함을 보여 준다. 이와는 다르게 ㉯의 글에서 한석봉의 어머니는 자신이 노력하여 성취한 모범을 보여줌으로써 아들로 하여금 자신의 노력이 부족하다는 것을 스스로 깨닫게 하는 방법을 사용하였다.

㉯의 글에서처럼 컴퓨터 게임에 빠져 숙제도 안 하고 게임만 하는 아이가 있다면, 위의 두 가지 방법을 적용해서 문제를 해결해 볼 수 있다. 먼저 맹자의 어머니처럼 저녁때가 되었는데도 저녁밥을 하지 않고 미룰 것이다. 그러다 게임을 하던 아이가 배가 고파지면 저녁밥을 달라고 할 것이고 그럼 나는 "너도 해야 할 일을 모두 미루고 게임을 하고 있지 않니?"라고 대답할 것이다. 그러면 아이는 자신의 잘못을 깨닫게 될 것이라고 생각된다.

이러한 방법도 있지만, 나는 한석봉의 어머니처럼 아이에게 모범을 보이는 것이 더 좋다고 생각한다. 어머니가 자신의 일을 제대로 하지 않고 아이에게 맡은 일을 열심히 하라고 한다면, 그 말은 설득력이 없다. 한석봉의 어머니처럼 노력하고 성취하는 모습을 보여줌으로써 아이가 잘못을 뉘우치고 앞으로 더 노력하는 자세를 보이도록 하는 것이 바람직한 것 같다.

주 제 탐 구 **02**강 대장부 찾아 구만 리!

case 1 '목구멍이 포도청이다'라는 말이 있다. 평소에는 양심에 꺼려 못할 짓도 배고프면 서슴지 않고 할 수 있다. 배고픔이 착한 사람도 도둑으로 만들 수 있다.

세상에 가난한 것을 좋아하는 사람은 없다. 천성이 게을러서 가난한 사람도 있겠지만 가난한 부모를 만나서 많이 배우지 못해 힘들게 일하는데도 가난하거나, 일하고 싶은데도 일자리를 얻을 수 없어서 가난한 경우가 대부분이다. 장 발장이 그 대표적인 경우이다.

우리나라에도 돈이 없어서 학교 급식을 못 먹는 학생들이 4만 명이나 된다고 한다. 변호사의 말처럼 국가와 사회가 돕지 않기 때문에 가난한 아이들이 공부를 제대로 못하고, 일자리도 얻지 못하게 된다면, 그들을 돕지 않은 국가와 사회의 잘못이 개인의 잘못보다 더 크다고 할 수 있다. 그래도 남의 물건을 훔친 것은 잘못이니 장 발장은 그 빵 가게에서 하루 동안 일을 하여 그 죄 값을 갚아야 한다.

case 2 불쌍히 여기는 마음을 따라가면 사랑하는 마음을, 자신의 잘못을 부끄러워하고 남의 잘못을 미워하는 마음을 따라가면 옳은 마음을, 사양하는 마음을 따라가면 예의 바른 마음을, 옳고 그름을 가리는 마음을 따라가면 지혜로운 마음을 발견할 수 있다. 평소에 다른 아이들을 괴롭히던 아이가 괴롭힘을 당하는 것을 보면 불쌍한 마음이 생기지 않고, 평소에 옳은 마음을 가지고 있지 않는 아이는 다른 아이를 괴롭혔다고 부끄러워하거나 어떤 아이가 다른 아이를 괴롭혔다고 미워하지 않는다. 예의 바른 마음을 가지고 있지 않은 아이는 화장실이 급하다고 양보해 주지 않고, 다른 아이를 괴롭히면 자신도 괴롭힘을 당할 수 있다는 것을 모르는 어리석은 아이는 다른 아이를 괴롭히는 것은 그르다는 마음을 가질 수 없다.

case 3 전하! 요즈음 백성들의 원성이 대단합니다. 아무리 좋은 정책이더라도 백성들의 의견을 들어 보고 백성들의 동의를 얻어 실시해야지 백성들의 의견을 무시하고 전하의 뜻대로만 밀고 나가는 것을 그만두소서.

거센 바람도 벗기지 못한 한 사내의 외투를 따뜻한 햇볕이 그 사내 스스로 벗게 했습니다. 힘으로 아무리 몰아붙인다고 백성들의 마음을 열 수는 없습니다. 임금이 명령한 표지판대로만 길을 가게 하면 표지판이 잘못되었을 경우 백성들이 모두 바다에 빠져 버리는 일이 일어납니다. 백성이 없는 임금이 무슨 소용이 있겠습니까? 전하! 힘으로 다스리려 하지 말고 덕으로 다스리소서. 그러면 천하의 모든 백성들이 마음을 열고 앞 다투어 전하께서 하시는 일마다 함께 할 것입니다. 전하! 신의 말을 들어주소서.

case 4 맹자가 대장부를 설명하는데 있어 가장 중요한 것은 '도' 와 '뜻' 이다. 옳지 않은 큰 도를 행하는 데도 대장부라고 하지 않고, 함께든 홀로든 옳지 않은 뜻을 행하는 데도 대장부라고 하지 않으며, 옳지 않은 뜻을 굽히려 하지 않는 데도 대장부라고 하지 않는다. 그러므로 맹자가 말하는 대장부는 무엇보다 옳은 사람을 뜻한다.

하지만 진정한 대장부는 사랑하는 마음을 가지고 있어야 한다. 만약 어떤 아이가 가난한 사람을 돕는 것이 옳은 일이라는 마음이 들어 어떤 가난한 아이를 돕지만 그 아이가 너무 지저분해서 싫어하는 마음이 든다면, 그 가난한 아이를 도와준 아이를 과연 대장부라고 할 수 있을까? 옳은 마음보다 더 중요한 것은 사랑하는 마음이다. 사랑하는 사람에게 어떻게 옳지 못한 일을 할 수 있을까?

철학자가 들려주는 철학이야기 006

칸트가 들려주는 순수 이성 비판 이야기

저자_박민수

연세대학교 독문과를 졸업하고 동 대학원에서 석사 학위를 받았다. 지금은 독일 베를린 자유대학에서 '근대 미학에서 미적 가상의 개념'이란 주제로 박사 논문을 준비하고 있다. 전문 번역가로도 일하고 있으며, 그동안 번역한 책으로는 《우리의 포스트모던적 모던》, 《데리다-니체, 니체-데리다》, 《신의 독약》, 《책벌레》, 《크라바트》 등이 있다.

칸트

다음 글을 읽고 칸트는 어떤 사람이었는지 요약하시오.

칸트(1724~1804)는 동프로이센의 쾨니히스베르크에서 가난한 집안의 아들로 태어났다. 그는 쾨니히스베르크 대학을 졸업한 후에 7년간 가정교사 생활을 했고, 31세가 되는 1755년부터 쾨니히스베르크 대학의 강사로 일하기 시작했다. 강사로 생활하는 동안 칸트는 유익하고 재미있는 강의와 해박한 저술로 명성을 얻었다.

칸트는 1770년에 쾨니히스베르크 대학의 교수로 임명되었으나 철학 연구의 새로운 방향을 찾는 데 열중하느라 11년 동안 아무런 글과 책도 발표하지 않았다. 1781년, 칸트는 마침내 《순수 이성 비판》이라는 대작을 발표했다. 칸트가 쓴 책들 중에서 《순수 이성 비판》과 《실천 이성 비판》, 《판단력 비판》을 칸트의 '3비판서'라고 부른다.

칸트는 하루를 정해진 일과표에 따라 생활했던 사람이다. 칸트에 관한 어느 전기의 대목을 읽어 보자.

"칸트는 잠자리에서 일어나 커피를 마시고 글을 쓰고 강의안을 읽은 다음 식사를 하고 산책을 하는 등, 모든 일을 정해진 시간표에 따라 행했습니다. 그래서 이웃 사람들은 회색 연미복을 입고 스페인제 지팡이를 든 칸트가 대문을 나서 보리수 길을 걷기 시작하면 그때가 오후 세시 반이라는 것을 알 수 있었습니다. 칸트가 날마다 산책하는 보리수 길을 이웃 사람들은 '철학자의 길'이라 불렀습니다. 칸트는 사시사철 이 산책로를 하루에 여덟 번 왕복했습니다."

이처럼 칸트는 자신의 생활을 아주 엄격하게 관리했지만, 다른 사람들과 어울릴 때는 친절함과 유머를 잃지 않았다고 한다. 특히 칸트는 점심 식사에 사람들을 초대하여 몇 시간 동안 즐거운 얘기를 나누는 것을 몹시 좋아했다. 칸트는 대학 총장을 두 번 역임하였고, 72세에 교수직에서 은퇴한 뒤에도 학문에 대한 열정을 버리지 않았다. 칸트는 80세에 세상을 떠났으며, 그가 남긴 마지막 말은 "참 좋군!"이었다고 한다.

생각 쓰기

주 요 개 념 및 배 경 지 식

1 동프로이센

동유럽의 발트 해 연안 지방을 가리키는 역사적 명칭으로, 프로이센
이란 말은 이 지역의 원주민이었던 민족의 이름에서 유래한 것이다. 이
지역은 중세 이후 독일의 영토였으나, 제2차 세계대전에서 독일이 패망
한 뒤 동프로이센 북부는 소련 영토가 되었고 남부는 폴란드 영토가 되
었다.

2 비판 철학

칸트의 '이성 비판의 철학'을 줄여 부르는 말이다. 칸트는 세상의 모
든 것을 비판적인 시각에서 검토해 보려고 했다.

그리고 이런 검토 과정에서 합당하다고 판단된 것만을 참인 것으로
받아들이려 했다. 물론 이러한 검토는 인간의 이성에 의해 이뤄져야 하
는 것이었다.

그런데 칸트에 따르면 이성 역시 올바르게 사용하려면 비판적 검토를
거쳐야 한다.

다시 말해 이성이 이성 자신을 비판적으로 검토하는 것이다. 여기서 생겨난 것이 칸트의 '이성 비판의 철학', 즉 '비판 철학'이다. 《순수 이성 비판》에서 칸트는 인식(앎)과 관련하여 이성이 행할 수 있는 것이 무엇이고, 행할 수 없는 것이 무엇인지를 따져 보았다.

01강 코페르니쿠스적 혁명

case 1 코페르니쿠스 이전의 사람들이 천동설을 믿었던 이유는 무엇인가? 다음 글을 읽고 그 이유를 설명하시오.

우리의 눈이 얼마나 믿을 게 못 되는지 여러분들이 직접 한번 실험해 보세요. 가령 투명한 유리잔에 물을 3분의 2가량 넣고 젓가락을 비스듬히 담가 보세요. 어떤 현상이 일어날까요?

네, 여러분들 모두가 알고 있듯이 젓가락이 수면을 기준으로 어긋나 보이네요. 물 바깥으로 나온 부분과 물 안에 있는 부분이 서로 어긋나서 잘려진 것처럼 보인답니다. 물에 담갔더니 진짜로 젓가락이 부러져 버린 걸까요? 젓가락을 다시 꺼내면 젓가락은 멀쩡하답니다. 젓가락은 변한 게 없는데, 우리 눈에는 어긋나 보이는 것이죠. 그것은 우리 눈에만 그렇게 보이는 것이랍니다.

―《칸트가 들려주는 순수 이성 비판 이야기》 중에서

태초에 하나님이 천지를 창조하셨다. (……) 하나님이 말씀하시기를 "우리가 우리의 형상을 따라서, 우리의 모양대로 사람을 만들자. 그리고 사람이 바다의 고기와 공중의 새와 땅 위에 사는 온갖 들짐승과 땅 위를 기어 다니는 모든 짐승을 다스리게 하자" 하시고, 하나님이 당신의 형상대로 사람을 창조하셨다. 하나님이 당신의 형상대로 사람을 창조하셨으니, 곧 하나님이 그들을 남자와 여자로 창조하셨다. (……) 하나님이 그들에게 말씀하시기를 "생육하고 번성하여 땅에 충만하여라. 땅을 정복하여라. 바다의 고기와 공중의 새와 땅 위에서 살아 움직이는 모든 생물을 다스려라" 하셨다.

−《구약성서》 창세기 중에서

생각 쓰기

"코페르니쿠스의 지동설이 지니는 진짜 혁명적인 의미는 이 세상을 우리 눈에 보이는 대로만 믿는 태도를 완전히 뒤바꿔 놓았다는 데 있단다. 아까도 말했지만 우리 눈에는 천동설이 맞는 것으로 보이잖니? 처음에는 코페르니쿠스의 눈에도 분명 태양이 움직이는 것으로 보였을 거야. 지금처럼 위성사진을 찍을 수 있는 시절도 아니었고, 또 변변한 천체망원경도 없었던 시대였으니까. 그런데 대담하게도 코페르니쿠스는 우리 눈에 보이는 것과는 전혀 다른 엉뚱한 주장을 한 것이지. 그건 바로 우리 눈을 의심한 거야. 우리 눈에는 천동설이 너무나 당연한 것으로 보이겠지만, 코페르니쿠스는 그런 눈이 착각할 수도 있다고 생각한 것이지."

–《칸트가 들려주는 순수 이성 비판 이야기》 중에서

"그래, 그렇겠구나. 세상은 엄청나게 많은 색들로 채워져 있는데 강아지들은 이렇게 풍부한 세상의 색깔을 보지 못할 테니까 우리가 보는 세상이 진짜 모습이라고 생각할 수 있겠구나. 아마도 강아지들은 이 세상에 색이라는 것이 존재한다는 것조차 생각하지 못할 테니까! 그렇다면 결국 강아지는 강아지의 눈에 보이는 세상, 그리고 사람들은 사람의 눈에 보이는 세상을 보는 것이니까, 강아지와 사람이 보는 세상이 각기 다르다는 결론이 나오네?"

-《칸트가 들려주는 순수 이성 비판 이야기》 중에서

"그래. 칸트는 눈에 보이는 세상이 진짜 세상은 아니라고 말했어. 사물이 생긴 대로 우리가 보는 것이 아니라, 우리가 어떻게 보느냐에 따라 사물이 보이는 거라고."

-《칸트가 들려주는 순수 이성 비판 이야기》 중에서

생각 쓰기

칸트에 따르면, 우리는 있는 그대로의 세상을 결코 알 수 없다. 그렇다면 세상의 이치를 밝히려는 과학은 아예 불필요한 것인가? 그렇지는 않을 것이다. 인간의 인식이 제한된 것일 수밖에 없다 해도 세상의 참모습에 조금씩 더 다가갈 수는 있다. 《이솝 우화》에 나오는 아래 글을 읽고 이 점에 관해 논술하시오.

옛날 옛적에 맹인 네 사람이 길에서 구걸을 하고 있었습니다. 어느 날, 이들은 우연히 코끼리에 관한 이야기를 듣게 되었습니다. 맹인들은 코끼리가 어떻게 생겼는지 꼭 실물을 통해 알고 싶었습니다. 하지만 코끼리를 찾아 멀리까지 나설 수는 없었습니다.

어느 날 아침, 운 좋게도 맹인들이 구걸하고 있는 길로 마침 코끼리 한 마리가 지나가게 되었습니다. 코끼리는 조련사에 끌려 어딘가로 가고 있었지요. 맹인들은 아주 잠깐만 코끼리를 멈추게 해달라고 조련사에게 부탁하고는 코끼리를 살펴보았습니다. 살펴본다 해도 눈으로 볼 수 없었기 때문에 두 손으로 더듬기만 하였지요.

첫 번째 맹인은 코끼리의 옆구리를 만졌습니다. 그래서 코끼리는 매끈매끈하고 아주 넓다는 인상을 받았지요. 그 맹인은 코끼리가 벽과 같은 모습이라고 말했습니다. 두 번째 맹인은 코끼리의 뿔을 잡았습니다. 그래서 코끼리는 둥글고 날카롭고 길고 딱딱해서 마치 창과 같다고 말했습니다. 세 번째 맹인은 다리를 만졌기 때문에 코끼리가 둥글고 높은 작은 나무와 같다고 말했습니다. 마지막으로 코끼리의 코를 잡은 네 번째 맹인은 코끼리가 뱀과 같은 모양이라고 말했습니다.

잠시 후 코끼리는 조련사에 끌려 떠났습니다. 남아 있는 맹인들은 각자 자신의 생각을 의심하지 않았습니다. 그리고, 절대 양보하려 하지 않은 채 코끼리의 생김새에 관해 끊임없이 논쟁을 했습니다.

생각 쓰기

1 코페르니쿠스

코페르니쿠스(1473~1543)는 폴란드의 천문학자이다. 그는 자신의 천문 관측 결과를 바탕으로 일찍부터 지동설을 생각했으나, 당시 사회 분위기 때문에 발표하지 못하다가 죽기 직전에 비로소 지동설에 관한 책을 발표했다. 코페르니쿠스의 지동설은 당시 사람들이 가지고 있던 우주관을 완전히 뒤집어 놓은 것이었으며, 그래서 그의 학설에 '코페르니쿠스적 혁명' 이란 명칭이 붙게 되었다.

2 창세기

창세기는 성경 《구약성서》의 첫 번째 책이다. 창세기에는 세계와 인간의 탄생을 다룬 천지창조, 최초의 인간인 아담과 이브의 낙원 추방, 동생 아벨을 살해하는 카인의 이야기, 노아의 홍수, 바벨탑 등 잘 알려진 이야기들이 담겨 있다.

3 이솝

이솝은 기원전 6세기 전반 그리스에서 살았던 사람으로,《이솝 우화》를 쓴 작가로 유명하다. 노예 출신이었던 그는 그리스의 델포이에서 억울한 누명을 쓰고 사형당했다고 한다.

02강 사람이 알 수 있는 것과 알 수 없는 것

case 1 칸트는 이성을 법정으로 끌고 가서 비판했다. 아래 글을 읽고 그 이유를 설명하시오.

판사: 너는 도대체 무슨 일로 이곳까지 끌려왔는고?

이성: 제가 무엇을 잘못했는지 도무지 알 수가 없습니다.

판사: 그렇다면 검사 칸트가 왜 너를 고발하였는지 들어 보아야겠구나.

칸트: 이성은 우리에게 많은 일을 했습니다.

판사: 그렇지, 이성 없이 우리 인간들이 이 모든 문명을 건설할 수 있었을까?

칸트: 당연히 없었을 것입니다. 이성 능력은 신이 우리 인간에게 내려 준 가장 고귀한 선물이기도 합니다.

판사: 그래, 그런 이성을 도대체 무슨 이유로 고발했단 말이오?

칸트: 독당근이란 말을 아시죠? 잘 쓰면 약이 될 수 있지만 잘못 사용하면 독이 될 수도 있는 독당근이요.

판사: 그게 지금 우리 사건이랑 무슨 상관이 있단 말인가?

칸트: 상관이 있습니다. 이성은 우리에게 많은 혜택을 주지만 한편으로는 우리에게 해악이 될 수도 있습니다.

이성: 제가 끼어들어도 될지 모르겠지만, 도대체 제가 사람들에게 무슨 잘못을 했다는 말입니까?

칸트: 엄밀히 말하자면 '이성' 당신의 잘못은 아니오. 당신을 잘못 사용한 사람들의 잘못이지. 내가 따지고 싶은 것은 바로 그 사실이오. 당신을 잘못 사용해서 잘못된 방향으로 간 사람들이 많다는 것이지요.

이성: 그렇다면 저를 잘못 사용한 사람들을 고발할 것이지 왜 저를 고발한단 말인가요?

칸트: 그게 좀 애매합니다만, 당신이 그런 사람들에게 잘못 사용되도록 스스로 내버려 둔 것은 당신이 해야 할 일을 소홀히 한 것이지요.

판사: 좀 더 분명하게 말을 해 주셔야겠군요, 칸트 검사.

칸트: 이성은 분명 놀라운 능력을 가지고 있지만 자신의 능력의 한계도 가지고 있답니다. 예를 들면 이성은 수학적 계산도 척척 할 수 있고 화학방정식도 만들 수 있습니다. 그런데 이성은 아무리 능력이 뛰어나도 신이 어떻게 생겼는지, 죽은 이후의 세계가 어떤 것인지 따위는 알 수가 없습니다. 그런데 적지 않은 사람들이 신은 이러하다 혹은 죽은 이후의 세계는 저러하다는 식의 얘기를 서슴없이 합니

다. 우리 이성 능력이 그것을 알 수 있다는 식으로 말이죠. 그러나 이게 가당하기나 한 말인가요?

판사: 아까 얘기에 나왔던 인도의 '만다라' 같은 경우가 그런 거군요.

칸트: 네, 맞습니다. 그래서 이성은 자신이 할 수 있는 것과 없는 것을 명확히 깨우치고 자신이 할 수 없는 일에 대해서는 관여하면 안 된다는 거죠. 이성은 자신이 뭐 그리 잘못이 있는가 하고 의아해하겠지만 자신이 잘못 사용되는 것을 막지 않았기 때문에 이렇게 법정에 끌려 나온 것이랍니다.

판사: 이성이 도대체 어떻게 잘못 사용되었다는 것인지 좀 더 자세히 말씀해 주시지요.

칸트: 네, 이성이 할 수 있는 일과 해서는 안 되는 일을 제가 분명히 구분해 놓았답니다. 여기 이것이 바로 이성이 할 수 있는 것과 해서는 안 되는 것을 상세하게 설명한 책입니다.

판사: 그렇다면 참 잘된 일이군요. 이제 이성에게 판결을 내려야 하겠군요.

이성: 판사님께서 내리시는 판결에 따르겠습니다.

판사: 이번 판정은 다음과 같다. 이성은 칸트 검사가 쓴《순수 이성 비판》을 꼼꼼히 읽고 자신의 권리가 무엇이고, 또 어떤 행동을 할 때 먼저 그것이 자신의 권리를 넘어선 것인지 똑똑히 깨우치도록 할 것!

-《칸트가 들려주는 순수 이성 비판 이야기》 중에서

생각 쓰기

1 이성

이성이란 이치에 맞게 생각할 줄 아는 능력을 말한다. 다르게 말하면, 사물을 바르게 판단하는 능력, 진실과 거짓, 선과 악을 구별하는 능력이다.

2 신

신은 종교의 대상으로서 초인간적이고 초자연적 위력, 즉 인간과 자연의 힘을 넘어서는 능력을 가지는 절대적 존재를 말한다.

아비투어
철학 논술

예시 답안

① 칸트는 동프로이센의 쾨니히스베르크에서 태어났다.

② 칸트는 쾨니히스베르크 대학의 교수가 되었다.

③ 교수가 된 후 11년간 아무런 책과 글도 발표하지 않다가 《순수 이성 비판》이라는
대작을 내놓았다.

④ 칸트가 쓴 책들 중에서 《순수 이성 비판》, 《실천 이성 비판》, 《판단력 비판》은 '3비
판서'라고 불린다.

⑤ 칸트는 정해진 일과표에 따라 열심히 공부하며 살았고, 다른 사람들과 어울려 노는
것도 좋아하는 밝은 성격의 사람이었다.

주 제 탐 구   **01** 강   코페르니쿠스적 혁명

case 1   코페르니쿠스 이전의 사람들은 천동설을 믿었다. 그 이유는 크게 두 가지
로 볼 수 있다.

먼저 천동설은 우리의 상식적인 관점에서 그럴듯하게 여겨지는 이론이다. 지구에
사는 우리는 날마다 동쪽에서 떠서 서쪽으로 지는 해를 본다. 마치 태양이 지구 주위
를 돌고 있는 것처럼 보이는 것이다. 또 하늘의 수많은 별을 관찰해도 가만히 있는 지
구 주위로 별들이 시간마다, 계절마다 위치를 바꾸고 있는 것처럼 보인다. 물론 오늘
날의 우리는 태양과 별들이 지구 주위로 움직이는 것은 물속에 담긴 젓가락이 휘어 보

이는 것과 마찬가지로 시각적인 착오일 뿐, 사실과 다르다는 것을 알고 있다. 하지만 이것은 눈으로만 관찰해서는 알아내기 어려운 사실이다. 코페르니쿠스 이전에는 자연 과학이 별로 발달하지 않았기 때문에 사람들이 자연 현상을 눈에 보이는 대로만 이해하고 설명했다. 그래서 천동설이 올바른 이론이라고 생각했던 것이다.

그리고 과거의 유럽 사회에서는 가톨릭교회가 중심적인 역할을 했다는 것도 사람들이 천동설을 믿었던 주요한 이유이다. 성경에 따르면 인간은 신의 형상을 닮은 유일한 존재이고 또 신이 가장 아끼는 피조물이다. 그래서 당시 사람들은 인간이 만물의 중심이며 인간이 사는 땅, 즉 지구가 우주의 중심에 있음이 틀림없다고 생각했다. 당시 사람들은 종교적인 이유에서도 천동설을 굳게 믿었던 것이다.

case 2 우리는 코페르니쿠스의 천체 이론, 즉 지동설에 혁명이란 말을 붙이곤 한다. 그것은 지동설이 그 이전까지 사람들이 생각했던 것을 완전히 뒤바꿔 놓았기 때문이다. 그런데 칸트는 철학에서 이와 비슷한 일을 했다. 칸트는 우리가 세상에 관해 앎을 얻는 방식, 즉 인식 방식에 관해서 완전히 새로운 이론을 생각해 냈던 것이다. 그래서 칸트의 새로운 사상을 '코페르니쿠스적 혁명'이라고 부르는 것이다.

칸트 이전에는 대부분의 사람들이 우리가 세상을 있는 그대로 본다고 믿었다. 종교적인 관점에서도 신의 가장 뛰어난 피조물인 인간은 당연히 그럴 수 있다고 생각했을 것이다. 하지만 칸트의 '코페르니쿠스적 혁명'에 따르면, 인간은 세상을 있는 그대로 볼 수 없다. 인간은 눈에 보이는 대로만 세상을 볼 뿐이다. 이것은 다른 생명체들이 세상을 보는 방식과는 전혀 다르다.

예를 들어 개에게는 이 세상이 흑백으로만 보이며 다양한 색깔이 구별되지 않는다.

또 모기와 같은 곤충은 인간이 듣지 못하는 세상의 소리를 듣는다. 이를 비유적으로 설명한다면, 인간을 포함한 모든 생명체는 제각각 다른 색깔의 안경과 성능이 다른 보청기를 사용하고 있는 셈이다. 지구상의 어떤 생명체도 세상을 있는 그대로 알 수는 없으며, 인간도 예외가 아니라는 뜻이다. 인간의 앎이라는 것도 완전할 수 없다는 얘기가 된다.

case 3 이 우화가 전해 주는 교훈은 '우물 안 개구리'의 것과 비슷하다. 이 우화는 세상의 참모습을 알지 못하는 맹인의 한계에 관해 말하고 있다. 좁은 우물에 갇혀 넓은 세상을 보지 못하는 개구리들의 어리석음을 비웃듯이 말이다. 하지만 잘 생각해 보면, 우리는 모든 인간이 우물 안 개구리이며 눈뜬 사람들도 맹인과 크게 다르지 않다고 생각할 수 있다. 눈이 보이든 안 보이든, 모든 인간은 세상의 참모습을 알 수 없기 때문이다. 칸트가 코페르니쿠스적 혁명을 통해 밝혀낸 것도 바로 이러한 사실이다.

하지만 이 우화를 잘 읽고 생각해 보면 맹인들의 앎이 코끼리의 원래 모습에 좀 더 접근할 수 있는 가능성이 있다는 것을 알 수 있다. 만약 맹인들이 각자의 관찰만을 고집하지 않고 서로의 관찰 결과를 비교한 후에 이를 종합했다면 코끼리에 관해 훨씬 더 정확한 앎을 얻을 수 있었을 것이다. 물론 그렇게 해서 얻은 앎 역시 실제 코끼리의 모습과는 큰 차이가 있을 것이다. 하지만 이러한 앎은 각자가 자신이 관찰한 것만을 고집했을 때보다 실제 모습에 훨씬 더 접근했을 것이다.

인간의 과학도 마찬가지이다. 인간의 인식은 제한되어 있으므로, 아무리 이성적 두뇌를 사용하고 정밀한 실험으로 과학을 발전시킨다 해도 세상의 실제 모습을 완전히 밝히지는 못할 것이다. 하지만 이것은 과학이 전혀 쓸모없다는 뜻은 아니다. 인간은 세상을 완전히 알 수 없다고 하더라도 좀 더 많은 것을 알아 갈 수 있다. 또 지금까지 인간의 역사는 그렇게 진행되어 왔으며 앞으로도 그렇게 진보할 것이다. 과학자들은 세상을 주의 깊게 관찰하고 깊이 연구한 후에 이를 서로 비교하여 더 나은 앎을 얻어 왔던 것이다. 그러므로 과학은 완전해질 수 없어도 더 나은 단계로 발전할 수는 있다고 할 수 있다.

주제 탐구 02강 사람이 알 수 있는 것과 알 수 없는 것

case 1 인간은 이성이 있기 때문에 옳고 그름을 따질 수 있고 온갖 것을 생각할 수 있다. 인간이 다른 동물들과 달리, 사회를 이루고 문화와 문명을 발전시켜 온 것도 모두 이성이라는 능력이 있었기 때문이다. 하지만 인간은 이런 이성을 그릇되게 사용하기도 했다. 즉 옳고 그름을 따지고 온갖 것을 생각하는 과정에서 인간은 실제로 알 수 없는 많은 것을 스스로 안다고 생각했다.

칸트는 바로 이런 이유로 이성을 법정에 데리고 간 것이다. 다시 말해 이성의 행위와 관련해서 어디까지가 옳았고 어디까지가 잘못되었는지를 따져 보았던 것이다. 칸트가 이처럼 이성을 비판하기 위해서 쓴 책이 바로 《순수 이성 비판》이다. 이 책에서 칸트는 이성이 알 수 있는 것과 알 수 없는 것의 경계를 분명하게 긋고 있다.

예를 들어 '신이 있느냐, 없느냐?' 또는 '사후 세계가 있느냐, 없느냐?' 의 문제는 인간의 이성으로 답할 수 없는 물음들이다. 인간은 신이 존재하는지, 그렇지 않은지에 대해 아무것도 알 수 없다. 또 사후 세계가 있는지에 없는지에 관해서도 인간의 이성은 아무것도 알 수 없다. 칸트는 아는 것과 생각하는 것, 아는 것과 믿는 것을 분명하게 구분했다. 그리고 신이나 사후 세계는 앎의 문제가 아니라 생각 또는 믿음의 문제라고 말했다.

철학자가 들려주는 철학이야기 007

이이가 들려주는 이통 기국 이야기

저자_**김광식**

서울대학교 철학과에서 학사·석사 과정을 마치고 독일 베를린 자유대학교 철학과에서 박사 과정을 마쳤다. 저서로는《사회철학대계 4: 기술시대와 사회철학》(공저)이 있고, 역서로는《흄 — 나는 존재하지 않는다》,《마르크스 정치경제학의 변증법적 방법 I, II》(공역),《철학대사전》(공역) 등이 있으며, 논문으로는〈본질과 현상의 범주를 통해 본 인식들 사이의 모순의 문제〉,〈사이버네틱스와 철학〉 등이 있다. 서양철학과 동양철학을 비교하는 데 많은 관심을 가지고 있다.

이이

李珥

아래의 이야기를 읽고 이이가 한 일과 사상을 간추리고 본받아야 할 점에 대해 말해 보시오.

이이는 이황과 쌍벽을 이룬 조선 시대의 유학자입니다. 호를 따서 이율곡이라고도 부릅니다. 어머니 신사임당의 집인 강릉 오죽헌에서 태어났습니다. 과거 시험에 합격하여 중앙 정부의 높은 벼슬을 하면서 《성학집요》와 같은 책을 써서 임금에게 쌓은 덕을 백성에게 베풀어 백성을 이롭게 하는 왕도 정치를 권하였으며, 무거운 세금을 거두고 심한 노동을 시킴으로써 백성들의 삶을 힘들게 하는 낡은 정치를 바꾸라는 건의를 하였습니다만 받아들여지지 않았습니다. 지방관으로 지낼 때는 훌륭한 일을 서로 권하고, 잘못을 서로 고쳐 주며, 예의를 지켜 사귀고, 어려울 때 서로 도와 살기 좋은 고장을 만드는 '서원향약'과 '해주향약'을 만들어 시행했습니다.

이이의 왕도 정치 사상과 개혁 정치 사상은 그의 철학 사상으로부터 나왔습니다. 그는 백성들에게 덕을 베풀어야 한다는 보편적인 원리(이)는 모든 구체적인 정책들(기)과 분리할 수 없으며, 그 보편적인 원리는 모든 구체적인 정책들에 담겨 있어야 하고, 그 보편적인 원리에서 벗어난 그릇된 정책들은 그 보편적 원리에 맞게 바꾸어야 한다고 주장했습니다.

　이이의 사상은 막연한 이론보다 현실을 개혁하는 실천을 중요시한 실학 사상으로 이어졌으며, 위기에 처한 백성을 위해 붓을 놓고 칼을 들고 싸웠던 의병 운동으로 이어졌습니다. 이이의 사상은 《성학집요》나 《격몽요결》과 같은 책에 담겨 오늘날에도 우리에게 좋은 가르침을 주고 있습니다.

생각 쓰기

주 요 개 념 및 배 경 지 식

1 '이'와 '기'

'이(理)'는 사물의 보편적인 원리나 법칙을 뜻한다. 또는 모든 사람의 마음이 다 같이 옳다고 여기는 보편적인 도덕법칙을 뜻하기도 한다. '기(氣)'는 원자나 분자처럼 온 세상에 퍼져 흩어졌다 모였다 하면서 형체를 이루는 가장 근원적인 물질이나 보편적인 원리인 '이'가 현상으로 드러나도록 작용하는 에너지를 뜻한다.

2 향약

'마을의 약속'을 줄인 말이다. 조선 시대에 실시한 마을의 규범이나 그 규범에 바탕을 둔 조직을 말한다. 그 규범은 훌륭한 일을 서로 권하고, 잘못을 서로 고쳐 주며, 예의를 지켜 사귀고, 어려울 때 서로 도와주어야 한다는 것으로 유교에 바탕을 둔 것이었다. 향약은 백성을 유교적 가치관으로 교육하며 그 가치관을 바탕으로 마을의 질서를 유지하는 목적을 가지고 있었다.

3 실학

조선 시대 후기에 나타난 개혁 사상을 말한다. 실학은 학문적으로는 유교를 발전시킨 성리학을 개혁하려는 사상이며, 정치적으로는 그 성리학에 바탕을 둔 낡은 정치를 개혁하려는 사상이다. 실학은 세상을 중국 민족과 오랑캐 민족으로 나누는 사상을 비판하고 각 민족의 자주성을 강조했다. 위에서부터 덕을 아래로 베푸는 왕도 정치를 비판하고 아래로부터 권력이 나와 위로 맡겨지는 민본 정치를 주장했다. 양반의 특권을 없애려 하고 노비가 세습되는 것을 반대하는 등 신분제도를 비판했다. 상공업을 무시하는 풍조를 비판하고 상공업의 가치를 강조했다.

4 의병

'의로운 병사' 란 뜻으로 국가가 침략을 당해 위태로울 때 정부의 명령이나 징발을 기다리지 않고 자발적으로 일어나 싸웠던 민간인 군인을 말한다. 우리나라는 침략을 많이 당하여 삼국 시대부터 고려 시대, 조선 시대, 대한제국에 걸쳐 의병이 있었으며, 일제강점기에는 독립군으로 활동했다. 의병은 학자나 선비로부터 평민과 천민, 심지어 스님들에 이르기까지 다양했다. 의병 활동은 정식 군대가 허약했음을 보여 주는 부정적인 측면도 있지만 일반적으로 나라를 위기로부터 지키려는 자발적인 참여라는 긍정적인 측면 때문에 높이 평가됐다.

1강 우주와 마음을 해부해 볼까?
2강 기가 막혀도 이만 통하면 모든 일이 OK!

01강 우주와 마음을 해부해 볼까?

case **1** 아래의 이야기들을 읽고 신화와 철학의 공통점과 차이점에 대해 말해 보시오.

㉮ 태초에 반고라는 커다란 거인이 살고 있었다. 거인은 1만 8천 년을 잠만 자다가 깨어나 도끼로 잠자던 우주의 껍질을 깨었다. 가벼운 물질은 위로 올라가고, 묵직한 것은 아래로 가라앉았다. 서로가 붙으려고 하는 것을 거인이 가벼운 물질을 손으로 쳐들고, 무거운 것을 발로 밟아 자기의 키를 하루에 3미터씩 1만 8천 년을 늘려 천지간의 거리가 9만 리가 되었다.

마침내 거인이 쓰러졌다. 그가 헐떡거리는 입김은 하늘의 구름이 되고, 그가 지른 고함은 천둥과 번개가 되었다. 거인의 왼쪽 눈알은 태양이 되었고, 오른쪽 눈알은 달과 별로 되었다. 살은 땅이 되고 뼈다귀는 산맥이 되었으며 털은 숲이 되었다. 피는 강과 바다와 호수가 되었으며, 땀과 눈물은 아침 이슬이 되었다. 이렇게 하여 지금의 세상이 만들어졌다.

– 《이이가 들려주는 이통 기국 이야기》 중에서

🄽 태초에 하나님이 천지를 창조하셨다. 땅이 혼돈하고 공허하며, 어둠이 깊음 위에 있고, 하나님의 영은 물 위에 움직이고 계셨다. 하나님이 말씀하시기를 "빛이 생겨라" 하시니, 빛이 생겼다. 하나님이 빛과 어둠을 나누셔서, 빛을 낮이라고 하시고, 어둠을 밤이라고 하셨다.

하나님이 말씀하시기를 "물 한가운데 창공이 생겨, 물과 물 사이가 갈라져라" 하셨다. 하나님이 이처럼 창공을 만드시고서, 물을 창공 아래에 있는 물과 창공 위에 있는 물로 나누시니, 그대로 되었다. 하나님이 창공을 하늘이라고 하셨다. 저녁이 되고 아침이 되니, 이튿날이 지났다. 하나님이 말씀하시기를 "하늘 아래에 있는 물은 한곳으로 모이고, 뭍은 드러나거라" 하시니, 그대로 되었다. 하나님이 뭍을 땅이라고 하시고, 모인 물을 바다라고 하셨다. 하나님 보시기에 좋았다.

– 《구약성서》, 〈창세기〉 참고

🄳 이 세상이 창조되기 전에는 '이' 와 '기' 만 있었습니다. '이' 는 우주와 세상, 자연과 만물이 조화 속에서 움직이는 눈에 보이지 않는 근본적인 원리이고, '기' 는 그 원리를 눈에 보이는 현상으로 나타나게 하는 아주 작은 근원적인 물질입니다. '이' 와 '기' 들이 흩어지거나 모여서 '이' 가 눈에 보이는 땅이나 바다와 같은 형체로 나타났습니다.

– 《이이가 들려주는 이통 기국 이야기》 중에서

생각 쓰기

㉮ 조선 시대에는 유교에 바탕을 둔 '칠거지악' 이라는 풍습이 있었습니다. 칠거지악은 결혼한 여자를 집에서 내쫓을 수 있는 이유가 되는 일곱 가지 나쁜 행실을 말합니다. 첫째, 시부모에게 순종하지 않으면 내쫓았고, 둘째, 아들을 낳지 못해도 내쫓았고, 셋째, 음탕하면 내쫓았고, 넷째, 질투해도 내쫓았고, 다섯째, 나쁜 병이 있으면 내쫓았고, 여섯째, 말이 많아도 내쫓았으며, 일곱째, 도둑질을 하면 내쫓았습니다.

– 《대대례》, 〈본명편〉 참고

㉯ 조선 시대에는 유교에 바탕을 둔 '사농공상' 이라는 풍습이 있었습니다. 사농공상이란 선비, 농민, 수공업자, 상인이란 말로 학문을 하는 선비를 가장 귀한 직업으로 여기고, 농업을 그 다음으로 가치 있는 직업으로 여기며, 공업을 천한 직업으로 여기고, 상업을 가장 천하게 여기는, 귀하고 천한 직업에 따라 신분을 나누고, 신분에 따라 직업을 나누는 신분제도였습니다.

– 《이이가 들려주는 이통 기국 이야기》 중에서

㉰ 조선 시대에는 유교에 바탕을 둔 '삼강오륜' 이라는 풍습이 있었습니

다. 삼강오륜이란 사람들 사이에 지켜야 할 세 가지 도리와 다섯 가지 덕목을 말합니다. 세 가지 도리에 따르면, 신하는 임금에게 충성을 해야 하며, 자식은 어버이에게 효도를 해야 하며, 아내는 남편에게 순종을 해야 합니다. 다섯 가지 덕목에 따르면, 임금과 신하는 서로 의리를 지켜야 하며, 어버이와 자식은 서로 사랑해야 하며, 부부는 서로 인격을 존중해야 하며, 어른과 어린이는 서로 예절을 지켜야 하며, 벗들은 서로 믿음을 가져야 합니다.

– 《춘추번로》와 《맹자》 참고

생각 쓰기

사단은 불쌍히 여기는 마음, 부끄러워하는 마음, 사양하는 마음, 옳고 그
름을 따지는 마음을 일컫는데, 이 네 가지 마음은 인간이 타고난 선한 본성
을 가리킨단다.

칠정은 기쁨, 분노, 슬픔, 두려움, 사랑, 미움, 욕망을 가리키는 것으로 일
곱 가지 종류의 인간 감정을 나타내는 말이야. 사단과 칠정의 관계는 '이'
와 '기' 의 관계를 보는 관점에 따라서 다르게 볼 수 있어. (중략)

이황 선생은 '이' 와 '기' 가 각각의 두 가지 존재라고 생각했기 때문에 사
단과 칠정도 서로 다른 것이라고 생각했어. 사단은 '이' 에 의해서 나타난
것으로 오로지 선한 마음뿐이고, 칠정은 '기' 에 의해서 나타나는 것이기 때
문에 선하기도 하고 악하기도 하다고 했지.

하지만 기대승 선생은 인간의 마음속에 있는 감정을 칠정으로 모두 설명
할 수 있다고 생각했어. 다만 그 칠정 가운데 오로지 선한 마음을 사단으로
보았어. 이것은 기대승 선생이 주장한 '기' 가운데에 '이' 가 있다는 생각과
같은 맥락이야. (중략)

율곡 선생은 기대승 선생의 주장에 동의했어. 그도 '이' 와 '기' 가 결코

나누어질 수 없는 관계에 있다고 생각했기 때문에 사단이 칠정 속에 포함되어 있다고 생각했어.

- 《이이가 들려주는 이통 기국 이야기》 중에서

생각 쓰기

----

case 4 아래의 이야기들을 읽고 몸가짐과 마음가짐의 관계에 대한 여러분의 생각을 말해 보시오.

가 옷은 단정히 입어야 합니다. 단정하지 못한 옷차림을 한 사람은 마음가짐도 단정하지 못하게 됩니다. 눈은 똑바로 쳐다봐야 합니다. 눈을 째려보거나 흘겨보는 사람은 마음가짐도 삐뚤어지게 됩니다. 손은 얌전하게 가지고 있어야 합니다. 손을 분주하게 움직이는 사람은 마음가짐도 산만하게 됩니다. 걸음걸이는 점잖게 걸어야 합니다. 가볍게 걷는 사람은 마음가짐도 경솔하게 됩니다. 목소리는 낮은 소리로 차분하게 말해야 합니다. 높은 소리로 흥분하여 말하는 사람은 마음가짐도 불안해집니다. 얼굴빛은 밝게 해야 합니다. 얼굴빛이 어두운 사람은 마음가짐도 어둡게 됩니다.

– 《이이가 들려주는 이통 기국 이야기》 중에서

나 옛날에 지혜로운 선생님이 계셨어. 그는 제자들에게 말은 항상 상대에게 상처를 주지 않게 부드럽게 해야 한다고 가르쳤지. 하지만 제자들은 여전히 말을 거칠게 해서 상대에게 상처를 주었어. 선생님이 여러 번 꾸짖자 이제는 제자들도 말을 부드럽게 했어. 하지만 말만 부드럽게 하지 여전히 상대에게 상처를 주는 말을 하는 거야. 어느 날, 선생님이 제자들에게 잔치를 열어 주었어. 맛있는 부드러운 청어 요리가 쟁반 위에 올려져 있었지. 제자들은 맛있는 음식을 보자 군침을 흘리며 좋아했어. 배고픈 참에 그 부드러운 청어를 냉큼 삼키고 말았지. 청어는 무척 부드럽지만 매우 날카로운 잔가시 뼈들을 가지고 있지. 가시 뼈까지 삼킨 제자들은 괴로워서 나뒹굴었어. 그때 선생님께서 말씀하셨지.

"아무리 부드러운 말이라도 속에 가시를 감추고 있으면 상대에게 상처를 주는 법이란다. 말을 아무리 부드럽게 해도 마음이 부드럽지 못하면 상대에게 상처를 준단다."

– 《탈무드》, 참고

1 '구용'

'구용'은 아홉 가지 얼굴이라는 말로 군자가 지녀야 할 아홉 가지 몸가짐을 뜻한다. 이이는《격몽요결》에서, 군자는 점잖게 걸어야 하고, 손은 공손하게 하며, 눈매는 단정하게 하고, 쓸데없는 말을 하지 않으며, 목소리를 높이지 않고, 머리를 곧게 세우며, 숨을 거칠게 쉬지 않고, 반듯이 서 있으며, 얼굴빛을 밝게 하여야 한다고 가르쳤다.

2 '구사'

'구사'는 아홉 가지 생각이나 마음을 말하며 군자가 지녀야 할 아홉 가지 마음가짐을 뜻한다. 이이는《격몽요결》에서, 군자는 현상을 볼 때는 그 원리를 분명하게 꿰뚫어 보려 하고, 말을 들을 때는 그 말의 핵심을 헤아려 들으려 하며, 사람을 대할 때는 얼굴빛을 부드럽게 하려 하고, 항상 옷차림을 단정하게 하려고 하며, 말할 때는 진실하게 말하려 하고, 모든 일은 성실하게 하려 하며, 궁금한 것은 물으려 하고, 화가 날 때는 더 심한 경우를 떠올려 참으려고 하며, 이로운 것은 의로운 것인가 생각해 보아야 한다고 가르쳤다.

3 철학

'철학' 이란 지혜로운 학문이란 말로 모든 현상의 궁극적인 근거를 묻고 그 근거에 대한 믿음들을 비판적으로 따져 보는 학문을 뜻한다. 옛날에는 현상에 대한 신화적이지 않은 모든 이론적 설명을 철학이라고 불렀다. 말하자면 지금의 거의 모든 분야의 학문을 철학이라고 불렀다. 하지만 자연과학과 사회과학이 떨어져 나가면서 모든 현상의 보편적인 특성인 '있다는 성질' 과 그 현상에 대한 지식이나 이론들의 보편적인 특성인 '인식한다는 성질' , 그 현상에 대해 내리는 가치판단들의 보편적인 특성인 '옳다는 성질' 에 대해 연구하는 학문을 철학이라고 부르게 되었다.

기가 막혀도 이만 통하면 모든 일이 OK!

가 이통기국이란 '기는 국한되고 이는 통한다' 는 뜻이지. 국한된다는 말은 제한된다는 말이야. 기는 각자가 지닌 기질에 따라 다르게 나타나지. 같은 부모에게서 태어난 자식이라고 할지라도 자식들은 생김새도 다르고 성격도 다르지. 기가 제한된다는 말은 이처럼 각자가 자신만의 개성을 가지게 된다는 뜻이야. 이는 통한다는 말은 보편적인 진리인 '이' 가 시간과 공간의 제한을 받지 않고 어디서나 통한다는 말이지. 한번 생각해 봐. 부모가 자식을 사랑한다는 진리는 동양과 서양, 옛날과 지금을 통틀어 언제 어디서나 통하잖아?

자, 이제 이통기국이란 말을 정리해 보자. 앞에서 예를 든 것처럼, 형제들은 서로 다른 개성들을 가지고 있지. 이것이 '기국' 이야. 하지만 가족을 사랑한다는 마음('이')은 모두가 함께 나누어 가지고 있지. 결국 '이통기국' 이라는 말은 각각의 개성과 차이를 가진 '기국' 이라 할지라도 '이통' 을 통해 하나로 화합할 수 있다는 뜻을 담고 있어. 가족 개개인은 한 사람 한 사람이 '기국'으로서 다른 존재이지만, '이통'을 통해서 사랑의 보금자리를 만들고 있는 거지.

– 《이이가 들려주는 이통 기국 이야기》 중에서

❹   옛날에 세 사람이 배를 사서 바다로 나갔어. 한 사람은 배의 앞부분을, 다른 사람은 돛이 있는 배의 가운데 부분을, 나머지 한 사람은 방향을 잡는 키가 있는 배의 뒷부분을 차지했어. 그러나 서로 가고 싶은 방향이 달랐지. 키를 차지하고 있는 사람이 자기 마음대로 방향을 틀었지. 가운데 사람이 화가 났어. 그는 돛을 내려 버리고 말았지. 바람을 잔뜩 안고 달리던 배가 멈추어 버렸어. 앞에 있던 사람은 화가 났어. 자기가 가고 싶은 방향으로도 못 가고, 돛을 내려 배는 멈춰 있어서. 그는 배의 바닥을 송곳으로 뚫기 시작했어. 다른 사람들은 깜짝 놀랐지.

"자네, 뭐하는 짓인가? 배에 구멍을 뚫으면 가라앉아 모두 죽을 텐데."

"알고 있네. 하지만 자네들도 자기가 차지하고 있는 것들을 가지고 자네들 마음대로 하지 않았는가? 나도 내 것을 가지고 내 맘대로 하는 것이니 상관 말게나."

– 《탈무드》 참고

"옛날에 어떤 나라의 임금님이 병이 나셨어. 아무리 용한 의사들도 아무도 고치지 못했지. 세상에서 가장 용하다는 의사가 와서 진단을 하고는 말했어.

"임금님은 사자의 젖을 먹어야 낫습니다."

용감한 젊은이가 그 말을 듣고 사자의 젖을 구하러 떠났지. 젊은이는 용감하기만 한 것이 아니라 지혜롭기까지 했어. 젊은이는 사자가 사는 들판으로 나갔지. 그리고 젊은이는 새끼 사자들과 친구가 되었어. 그 뒤에 어미 사자까지 친구가 되었단다. 그리고는 마침내 사자의 젖을 짤 수 있었지. 사자의 젖을 들고 기뻐서 돌아오던 길에 젊은이는 나무 그늘에서 쉬다가 잠이 들었단다. 꿈속에 자기 몸들이 서로 싸우는 거야.

"나 때문에 사자 젖을 구할 수 있었어. 내가 없으면 사자가 있는 들판으로 올 수 없었잖아."

다리가 말했어. 눈도 지지 않고 말했지.

"내가 없으면 사자를 어떻게 찾아냈겠어?"

팔도 나섰어.

"내가 없으면 젖을 짤 수 없었을 거야."

그때 혀가 끼어들었지.

"내가 가장 중요해!"

모두들 혀를 비웃었고 무시했지. 혀는 사자의 젖을 구하는 데 아무런 도움이 되지 못했거든. 젊은이가 마침내 잠이 깨어 부지런히 걸어서 임금님의 궁궐에 도착했어.

임금님이 물었지.

"이게 뭐지?"

"개 젖입니다."

젊은이의 입에서 자기도 모르게 엉뚱한 말이 튀어나왔어. 임금님은 화가 나서 명령을 했지.

"저놈을 몹시 쳐서 감옥에 처넣어라!"

다리는 후들후들 거리고, 눈은 휘둥그레졌으며, 팔은 벌벌 떨었어. 마침내 혀의 힘이 얼마나 대단한지 깨달은 거야. 다리와 눈과 팔은 혀에게 잘못했다고 빌었어.

"혀야. 우리가 잘못했어. 어서 바른 대로 말씀드려."

혀는 흐뭇해져서 말했지.

"임금님 제가 실수로 헛말이 나왔습니다. 이것은 사자의 젖입니다."

임금님은 그 젖을 먹고 씻은 듯이 나았고, 그 젊은이에게 큰 상을 내려서 다리와 눈과 팔과 혀는 사이좋게 편하게 살았단다.

– 《탈무드》, 참고

생각 쓰기

1 이통기국

'기는 국한되고 이는 통한다'는 뜻이다. 이이는 형체가 없는 '이'가 모든 사물을 관통하여 보편적으로 존재하는 것을 '이통'이라고 했으며, 구체적 형체를 갖추어 존재할 수밖에 없는 기가 그 형체에 따라 차별적으로 드러날 수밖에 없는 제한적인 성질을 가리켜 기국(氣局)이라고 했다. 그는 이러한 차이를 그릇에 담은 물에 비유하여, 그릇의 모양이 서로 다른 것은 기국이며 그 그릇 속에 담긴 물이 모두 같은 것은 이통이라고 했다.

2 지역 갈등

둘 이상의 지역 사이에 격차가 심해지면서 이해관계가 부딪혀서 생기는 갈등을 말한다. 지역 사이의 격차는 다양한 측면에서 비교할 수 있지만 일반적으로 정치적이거나 경제적인 측면에서의 격차 때문에 지역 갈등이 생긴다. 지역 갈등이 심해지면 적대적인 지역감정을 낳는다. 지역 감정은 다른 지역에 대해 가지는 부정적인 편견을 말한다. 일반적으로 지역 갈등은 지역이기주의를 부추겨서 국가 발전의 걸림돌이 된다.

아비투어
철학 논술

예시 답안

① 이이는 임금에게 백성을 위한 개혁을 요구했으며, 향약을 만들어 스스로 개혁을 실천했습니다.

② 이이의 정치사상은 덕으로 다스리는 왕도 정치 사상과 백성을 힘들게 하는 낡은 제도를 개혁하는 개혁 사상으로 간추릴 수 있습니다.

③ 정치사상의 바탕이 된 그의 철학 사상은, 백성들에게 덕을 베풀어야 한다는 보편적인 원리(이)는 모든 구체적인 정책들(기)과 분리할 수 없으며, 그 보편적인 원리는 모든 구체적인 정책들에 담겨 있어야 하고, 그릇된 정책들은 그에 맞게 바꾸어야 한다는 생각으로 간추릴 수 있습니다.

④ 본받을 만한 점은 이이가 단순히 학문을 하는 데 그치지 않고 백성을 위해 그 학문을 정치 현실에 적용하여 직접 실천했다는 점입니다.

⑤ 우리가 어떤 자세로 공부를 해야 하는지 깨닫게 해 줍니다.

주 제 탐 구   **01**강   우주와 마음을 해부해 볼까?

case 1   ㉮는 중국의 창조 신화이며, ㉯는 기독교의 창조 신화이다. ㉰는 중국의 유학자들의 우주 창조에 대한 철학적인 설명이다. 먼저 공통점을 찾아보자. 세 가지 모두 우주가 어떻게 창조되었는지에 대한 설명이다. 그럼 차이점은 무엇일까? ㉮와 ㉯는 우주가 거인이나 신과 같은, 어떤 의지를 가진 외부적인 존재의 행위에 의해 만들어졌다고 설명한다. 반면 ㉯는 그러한 외부적인 존재의 개입 없이 '이' 와 '기' 라는 아무런 의지를 가지고 있지 않는 내부적인 요소들의 작용에 의해 만들어졌다고 설명한다. 여기서 우리는 신화와 철학의 공통점과 차이를 찾아볼 수 있다. 공통점은 둘 다 어떤 현상에 대한 설명이라는 점이며, 차이점은 신화는 현상을 의지를 가진 외부적인 존재의 행위에 의해 설명하는 데 반해, 철학은 의지가 없는 내부적인 요소에 의해 설명한다는 점이다. 신화가 모든 것을 남의 탓으로 돌렸다면, 철학은 남을 탓하지 않고 자기 내부를 돌아보고 반성하는 태도에서 시작되었다고 볼 수 있다.

case 2 유교는 오백 년 동안 조선 시대를 이끌어 온 사상이다. 따라서 조선 시대에는 유교에 바탕을 둔 많은 풍습들이 있었다. 그 풍습들은 오늘날까지 우리들의 문화에 많은 영향을 끼치고 있다.

㉮는 남녀를 차별하고 여자의 인권을 무시하는 나쁜 풍습이다. 요즘도 며느리를 괴롭히는 나쁜 시부모의 불합리한 횡포에도 순종하지 않으면 이혼을 요구하는 남편들이 있으며, 딸만 낳고 아들을 낳지 못하거나 자식을 낳지 못한다고 이혼을 요구하는 남편들이 있다. ㉯는 직업에 귀하고 천한 차별을 두어 신분을 차별하는 나쁜 풍습이다. 오늘날에도 정신적인 일을 하는 사람들을 귀하게 여기고 농사를 짓거나 공장에서 일하거나 시장에서 장사를 하는 사람들을 무시하는 풍조가 있다.

하지만 ㉰에는 부모와 자식 사이의 사랑이나, 친구 사이의 믿음, 어른에 대한 예절, 부모에 대한 효도와 같은 좋은 풍습도 있다. 물론 임금에 대해 충성을 다해야 한다는 것을 독재자에게 충성을 강요하는 구실로 이용하거나 아내가 남편에게 순종해야 한다는 것을 남편이 아내를 함부로 대하거나 폭력을 행사해도 된다는 구실로 이용하는 나쁜 영향도 있다.

　유교에서 왔다고 모두 나쁜 것도 아니며, 그렇다고 모두 좋은 것도 아니다. 좋은 풍습은 이어받고 나쁜 풍습은 버려야 한다.

case 3　칠정 가운데 오로지 선한 마음이 사단이라고 했으므로 먼저 칠정 가운데 사단에 상응하는 마음을 찾아보겠다. 불쌍히 여기는 마음에 상응하는 마음은 아마도 사랑인 것 같다. 사랑하는 마음이 없으면 불쌍히 여기는 마음이 생길 리 없기 때문이다. 자신의 잘못을 부끄러워하고 남의 잘못을 미워하는 마음에 상응하는 마음은 찾기 힘들다. 하지만 자신의 잘못과 남의 잘못을 미워하는 마음이라고 바꾸어 보면 상응하는 마음이 미움일 수 있다. 하지만 잘못하지 않은 남도 미워하는 마음은 선한 마음이라고 할 수 없다. 사양하는 마음은 예의의 실마리며, 예의는 존경하거나 경외하는 마음으로부터 오므로 상응하는 마음은 두려움일 수 있다. 옳고 그름을 따지는 마음은 그릇된 행위에 대해 분노하는 마음으로 나타날 수 있다. 하지만 옳은 행위에 대해서도 화를 내는 마음은 선한 마음이라고 할 수 없다.

　이제는 전략을 바꾸어 남에게 해를 끼칠 수 있는 마음을 찾아 제외시키는 방법을 써 보자. 남의 것을 탐내는 욕망이나 잘못하지 않은 남을 미워하는 마음이나 잘못하지 않은 남에게 화를 내는 마음은 남에게 해를 끼칠 수 있다. 반면 기쁨이나 슬픔이나 두려움이나 사랑은 남에게 해를 끼칠 수 없다. 따라서 칠정 가운데 오로지 선한 마음은 이 네 가지라고 생각한다.

case 4 ㉮의 말처럼 몸가짐을 바로 해야 마음가짐도 바르게 된다는 말은 맞는 말이다. 하지만 ㉯에서처럼 무엇보다 마음가짐을 바로 해야 몸가짐도 바르게 된다고 생각한다. 옷을 아무리 단정하게 입어도 마음을 단정하게 가지려고 하지 않으면 마음이 단정해질 수 없다. 하지만 마음이 단정하면 옷차림도 단정해진다.

아무리 똑바로 쳐다봐도 마음을 바르게 하지 않으면 마음이 바르게 될 수 없다. 하지만 마음이 바르면 똑바로 쳐다보게 된다. 아무리 얼굴빛을 밝게 해도 마음을 밝게 하지 않으면 마음이 밝아질 수 없다. 하지만 마음이 밝으면 얼굴빛은 자연히 밝아진다. 이와 같이 몸가짐이 마음가짐에 미치는 영향보다도 마음가짐이 몸가짐에 미치는 영향이 크다고 생각한다.

주 제 탐 구 **02강** 기가 막혀도 이만 통하면 모든 일이 OK!

case 1 이통기국 사상은 기는 서로 달라도 이는 서로 통한다는 생각이다. 지역 갈등은 지역들이 서로 다르다는 생각으로부터 비롯되었다. 여러 가지 사정이 지역마다 다르다. 어떤 지역은 많이 발달했는데 다른 지역은 많이 발달하지 못했다. 많이 발달하지 못한 지역은 다른 지역이 많이 발달한 이유가 그 지역에서 나온 정치가들이 자기 지역을 다른 지역보다 훨씬 더 많이 발달하게 했기 때문이라고 생각한다. 반면 많이 발달한 지역은 자신들이 열심히 일했기 때문에 발달한 것인데 괜히 시샘을 한다고 미워한다. 지역 갈등은 서로 다른 모습(기국)만 보기 때문에 생겼다.

하지만 지역은 서로 다르지만 같은 나라에 살고 있다는 생각은 함께 나누고 있다. 지역 갈등은 이렇게 모두가 나누고 있는 같은 생각(이통)으로 해결할 수 있다. ㉰에서처럼 자기 것만 고집하고 배를 송곳으로 뚫으면 그 배를 타고 있는 사람은 누구도 살수 없다. 그들이 같은 배에 타고 있다는 것을 깨달을 때 배를 안전하게 한 방향으로 힘차게 몰 수 있다. 지역 갈등도 마찬가지이다. 지역은 서로 다르지만 같은 나라에 살고 있다는 것을 깨달으면, 많이 발달한 지역은 많이 발달하지 못한 지역이 발달하도록 도와주고, 도움을 받은 지역은 고마워하며, 도움을 준 지역이 더욱 발달할 수 있도록 도와 결국 우리나라가 발달할 것이다. 기국에 지역 갈등의 원인이 있다면, 이통에 지역 갈등 해결의 열쇠가 있다.

case 2 따돌림 현상은 예문에서처럼 각자가 서로 다르다는 생각으로부터 비롯되었다. 우리들 각자는 여러 가지 점에서 서로 많이 다르다. 공부를 잘하는 아이가 있는 반면, 못하는 아이가 있고, 잘생긴 아이가 있는 반면, 못생긴 아이가 있으며, 깨끗한 아이가 있는 반면, 지저분한 아이가 있다. 그러한 차이를 '나와 다른 것'으로 받아들이지 않고 '잘못된 것'으로 받아들일 때 따돌림 현상이 생긴다. 공부를 못한다고, 못생겼다고, 지저분하다고 놀리고, 때리고, 따돌린다. 따돌림 현상은 서로 다른 모습(기국)에만 집착할 때 생긴다. 우리 각자는 서로 다르지만 모두 소중한 사람들이다. 내가 소중한 자식이듯이 남들도 소중한 자식이다. 내가 놀림을 당하거나 맞거나 따돌림을 당하지 않고 싶어 하듯이 남들도 똑같은 생각을 나누고 있다. 남들도 친구를 사귀고 싶어 하고, 어울려 놀고 싶어 하며, 따뜻한 우정을 나누고 싶어 한다. 따돌림 현상은 이러한 모두가 나누고 있는 같은 생각(이통)으로 해결할 수 있다.

Abitur

철학자가 들려주는 철학이야기 008

홉스가 들려주는 리바이어던 이야기

저자_최지윤

고려대학교 철학과 박사 과정을 수료하였고, 어린이철학연구소 강사 및 교재 집필을 했으며, 현재 대진대학교에 출강하고 있다.

홉스

Thomas Hobbes

아래 제시된 글을 통해 홉스가 어떤 삶을 살았는지 알 수 있다. 제시된 글을 읽고 홉스는 어떤 사람인지, 그의 삶에서 특징적인 점은 무엇인지 서술하시오.

홉스(Thomas Hobbes, 1588~1679)는 영국의 철학자로 그의 아버지는 목사였다. 1588년 4월 5일 영국 서남부 월트셔주 맘즈베리 근처의 작은 마을 웨스트포트는 스페인의 무적함대인 아마다가 영국을 침공한다는 소문으로 두려움에 휩싸이게 되고, 그 소식에 놀란 그 마을의 목사 부인은 임신 7개월 만에 조산을 하게 된다. 이 칠삭둥이가 훗날 영국의 철학사와 정치사상사에 크나큰 영향을 남긴 토마스 홉스가 되리라고는 아무도 예상하지 못했다.

홉스는 15세 때 옥스퍼드대학교에 입학해 논리학과 아리스토텔레스의 철학을 공부하였다. 대학교에서 철학을 전공하였지만, 그는 수학과 과학에도 많은 관심이 있었다. 1608년 2월에 대학을 졸업한 홉스는 학교장 존 윌킨스의 추천으로 윌리엄 카벤디쉬(William Cavendish) 가문의 가정교사로 일을 시작하게 되었다. 귀족이며 부자였던 윌리엄 카벤디쉬—후에 1대 디본셔 백작이 됨—는 옥스퍼드의 신출내기 홉스에게 자신의 아들 윌리엄의 교육을 맡기게 되고, 이때부터 시작된 홉스와 카벤디쉬 가문의 인연은 몇 년의 공백기를 제외하고는 죽을 때까지 지속된다. 이 인연은 홉스가 경제적인 문제를 해결하는 데 도움을 주었을 뿐만 아니라 현실 정치에 관한 정보와 지식을 얻거나 귀족들과 교류하는 데 다리 역할을 했다.

1640년 영국 사람들은 찰스1세가 정치를 잘못한다고 생각하고 청교도혁명을 일으킨다. 청교도혁명이 일어나자 홉스는 영국의 왕 찰스 1세의 아들인 찰스 2세의 가정교사라는 이유만으로 청교도들로부터 미움을 받고 어쩔수 없이 프랑스로 망명하지만, 프랑스로 쫓겨 간 것이 오히려 그에게는 철학을 공부할 좋은 기회가 된다. 무슨 일을 하여도 게으름을 피우지 않고 성실했던 홉스는 프랑스에서 오히려 더 많은 연구를 할 수 있었다.

홉스는 청교도들에게 미움을 받았음에도 불구하고 다시 영국으로 돌아온다. 그리고 청교도혁명이 한창인 1651년에 유명한 책《리바이어던》을 출판해 이상적인 국가의 모델을 제시하였다. 세상이 다 아는 것처럼 이 작품은 홉스의 대표작이고, 그의 모든 생각이 이 한 권의 책에 담겨 있어서 처음 책이 세상에 등장한 때부터 지금까지 세간의 주목을 받아 오고 있다.

생각 쓰기

1 리바이어던

리바이어던은 원래 《구약성서》 '욥기' 에 나오는 영원히 죽지 않고 산다는 괴물의 이름이다. 욥기에서는 이 동물을 어떤 방법으로도 잡을 수 없으며, 사람의 지능이 아무리 뛰어나도 이 동물을 마음대로 할 수 없다고 하였다. 홉스는 국가를 리바이어던에 비유하여 절대적인 권력으로 사람들의 평화를 지키게 할 수 있다고 생각하였다.

2 아리스토텔레스

스타게이로스에서 태어난 아리스토텔레스(BC 384~322)는 고대 그리스의 철학자로, 소크라테스의 제자이기도 한 플라톤의 제자였다. 17세 때 아테네에 진출하여 플라톤의 학원(아카데미아)에 들어간 그는 스승이 죽을 때까지 거기에 머물렀다고 한다. 아리스토텔레스는 인간에게 가까운 감각되는 자연물을 존중하고, 이를 지배하는 원인들을 알고자 했다. 그는 많은 저작을 남겼고, 오늘날에도 자연 학자이자 위대한 철학자로 그 명성이 높다.

3 청교도혁명

청교도혁명은 1640~1660년 영국에서 청교도가 중심이 되어 일으킨 최초의 시민혁명이다. 17세기 초기와 중기는 유럽의 여러 나라들이 사회, 정치적으로 큰 변화를 겪는 시기였다. 영국에서는 엘리자베스 1세가 죽은 후 스코틀랜드 왕조인 스튜어트왕조를 새로운 영국의 왕조로 정하였다. 그런데 찰스 1세가 왕위에 올라 의회의 승인도 받지 않은 채 세금를 거두고, 청교도를 탄압하고, 국교회를 강요하는 등 정치적으로 많은 실수를 하였다. 이후 시민혁명이 일어나고, 당시 영국의 왕이었던 찰스 1세는 처형을 당하고 만다.

4 찰스 1세

찰스 1세(1600~1649)는 스튜어트왕조의 영국 왕이자 제임스 1세의 차남으로, 청교도혁명에 의해 처형당한 인물이다. 그는 형 헨리가 죽음으로써 황태자가 되었는데, 스코틀랜드에 강제로 국교를 시행하려고 하여 1640년에 스코틀랜드에서 반란을 초래하였다. 이 반란에 대한 처리 비용으로 어려움을 겪자 의회파와 충돌하였고, 이 충돌이 이후 청교도혁명으로 이어지게 된다. 찰스 1세는 1649년 재판 결과에 따라 '국민의 적' 으로 판결되어 처형당한다.

01강 '만인 대 만인의 투쟁'은 무엇인가요?

case 1 다음 제시글은 자연 상태에서의 인간의 모습을 보여주는 내용이다. 자연 상태에서의 인간의 모습이 어떠한지에 대해 말해 보고, 왜 사람들이 그렇게 행동하는지, 원인이 무엇인지를 서술하시오.

저기 나무 한 그루가 있다. 사과 같기도 하고 석류 같기도 한, 새빨갛고 탐스럽게 윤이 나는 사과. 음, 무척 먹음직스럽게 생겼다.

주변을 돌아보니 낯선 곳이다. 여기가 어딜까. 큰 바위와 벌거숭이산들이 둘러 있고, 온통 침침한 잿빛인데 기침이 났다. 그런데 기침 소리가 너무 크게 울려 나도 깜짝 놀랐다.

앗! 여기는 동굴이잖아? 서서히 날이 밝는지 동굴 안으로 빛이 들어온다. 찬찬히 살펴보니 동굴 안에는 사람들이 가득 있었다. 모두들 지치고 배가 고픈 듯 보인다.

해가 더 들어 주변이 밝아지자 사람들이 슬슬 움직이기 시작했다. 아무도 서로에게 말을 걸지 않는다. 분위기가 너무 으스스하군.

사람들은 점점 더 동작이 빨라지면서 저 멀리 있는 나무를 향해 달린다.

사과같이 생긴 열매를 따려는 것인가 보다. 나도 갑자기 참을 수 없는 배고 픔이 느껴져 같이 움직였다. 분명히 열매보다는 사람이 많았다. 아니, 너무 많았다. 저 열매는 몇 개 달려 있지도 않은데, 이 많은 사람들이 어떻게 먹을 수 있을까?

　사람들은 이제 서로를 밀치고, 어깨를 부딪치며, 남의 발을 밟기도 하면 서 뛰었다. 전속력으로 뛰었다. 힘이 모자란 나는 곧 뒤처지고 말았다. 모두 들 서로 뒤엉켜 먼저 앞서려고 짓밟고 다른 사람을 잡아당겼다. 피를 흘리 는 사람도 있었다. 저 탐스런 열매를 먹으려고 사람들은 사람들과 싸웠다. 누군가의 팔에 밀려 나는 바닥으로 쓰러졌다. 아, 너무 무섭다. 이러다 나는 죽는 것인가? 이게 현실은 아니겠지?

– 《홉스가 들려주는 리바이어던 이야기》 중에서

생각 쓰기

"놀랐잖아, 인마! 절대! 말 안 하기. 알지? 아무튼, 그 만인 대 만인의 투쟁이란 게 바로 그거야. 사람들 모두가 동반자가 아니라 적이 된다는 거. 원하는 것을 가지려면 모두와 싸워서 이기지 않으면 안 되잖아? 각각의 혼자가 모두와 말이야. 만인 대 만인의 투쟁이란 건 그런 의미야."

아하, 그런 거구나. 영준이의 얘기를 들으니 금방 이해가 됐다.

"그런데 그렇게 무서운 투쟁을 왜 계속할까? 사이좋게 나눠 갖는 뭐 그런 방법을 찾을 수도 있을 텐데."

나는 그것이 정말 궁금해서 다시 물었다.

"사람의 욕심이란 끝이 없거든. 우리도 그렇잖아. 새 신발 사면 새 게임시디 갖고 싶고, 그거 사면 또 다른 게 갖고 싶고. 자연 상태의 사람도 똑같다는 거야. 힘으로 갖고 싶은 것을 계속 추구하면서 힘의 확보를 계속하려고 하지. 그러니 끊임없는 투쟁과 경쟁이 생길 수밖에 없는 거야. 홉스는 인간은 본성적으로 탐욕스럽고 이기적이기 때문에 국가가 생기기 전의 자연 상태는 '만인 대 만인의 투쟁'의 비참하고 절망적인 상황이었을 수밖에 없었다고 본 거지."

－《홉스가 들려주는 리바이어던 이야기》 중에서

"홉스 할아버지가 뜻 없이 나를 만들진 않았군. 알아주는 사람이 다 있으니 말이야. 바로 맞혔다. 만인 대 만인의 투쟁. 인간은 끊임없이 욕망에서 욕망으로 나가며, 보다 더 큰 힘을 가지려 한다고 했지. 그것은 곧 인간이 자기보존의 욕구에 따라 오늘보다 더 큰 내일의 힘을 가지려는 것이고, 내일 다가올 경쟁에서 내 힘을 빼앗기지 않기를, 패하지 않기를, 내가 남을 지배할 수 있기를 원한다는 뜻이다. 인간은 운명적으로 남의 패배를 딛고 승자가 될 수밖에 없다. 원래부터 비사회적이고 이기적인 인간이기에, 서로가 적으로 싸움터에서 마주 서는 것이지. 만인 대 만인의 투쟁…… 참 슬픈 일이지."

쓸쓸한 얼굴로 괴물이 말했다.

"네 말을 들으니 나도 슬퍼진다. 사람은 그렇게 살 수밖에 없는 거야? 무슨 방법이 있지 않을까? 아, 사회계약! 그런 얘기를 들은 것 같아."

영준이가 말해 주던 리바이어던, 그 얘기가 생각났다.

"홉스 할아버지가 생각해 낸 것이 바로 그것이다. 이렇게 서로를 싸움의

289

대상으로만 여기다가 마침내는 우리의 목숨까지 위태로워질 수 있겠지? 다행히 인간은 이성을 가졌다. 이성적으로 생각하기에, 모두의 안전을 얻고 목숨을 지키기 위해 다른 방법이 필요하다고 판단할 수 있다는 것이다. 그래서 홉스 할아버지가 탄생시킨 것이 바로 나, 리바이어던이다.”

– 《홉스가 들려주는 리바이어던 이야기》 중에서

생각 쓰기

1 자기보존 욕구

자기보존 욕구란 '나'를 유지하고자 하는 것으로, 자신의 생명을 위협하는 것에 대해 대항하고 자신의 안전을 위해 활동하는 욕구(바람)를 말한다.

2 인간의 본성

인간의 본성은 크게 '성선설', '성악설', '백지설'로 나눌 수 있다. 성선설은 타고난 인간의 성품이 선하다고 보는 입장이고, 성악설은 인간의 본성이 악하다고 보는 입장이다. 또 백지설은 인간의 본성 자체는 선하지도 악하지도 않다고 보는 입장으로, 인간의 성품이 태어난 이후 경험에 의해 만들어진다고 보고 있다.

3 경쟁

서로 원하는 것이 같을 때, 즉 같은 목적을 두고 있을 때 서로 이기거나 앞서려고 겨루는 상태를 말하는 것으로, 협동과 반대되는 뜻이다. 경쟁이 그 자체로 나쁘다고 할 수는 없지만, 홉스는 이러한 경쟁 욕구가 싸움을 낳고 결과적으로는 사람들에게 많은 고통을 준다고 보고 있다.

02강 홉스가 생각하는 이상적인 국가의 모습은 무엇인가요?

case 1 아래 제시글을 통해 국가가 만들어지는 과정을 살펴보자. 그리고 이로부터 국가가 해야 할 임무는 무엇이고, 국민의 임무는 무엇인지 서술하시오.

"사람들은 자기의 모든 힘과 권력을 내놓는다, 그것을 넘겨받는 무엇인가는 사람들의 안전을 지켜 주기로 약속한다, 그것이 사회계약이지. 그 무엇이란 것은 국가일 수도 있고, 개인일 수도 있고, 왕일 수도 있다."

"계약은 언제든 깨질 수 있어서 강력한 힘이 필요하다던데."

나는 다시 영준이에게 주워들은 말이 생각나 괴물에게 물었다.

"그렇지. 사람들이 힘을 넘겨주고도 다시 계약을 깨고 마음대로 할 수도 있겠지? 그러면 안전은 보장되지 못할 것이다. 목숨을 지키기 위해 그런 계약을 하는데, 계약이 제대로 지켜지지 않는다면 의미가 없겠지. 하나마나한 약속이 될 테니까 말이다. 또다시 만인의 투쟁 상태로 되돌아갈 수도 있을 것이다. 그래서 홉스는, 힘과 권력을 넘겨받은 주권자가 계약자인 국민들의 권리 위에 서서 그들을 제한하고 구속하는 힘, 괴물이나 거인과도 같은 힘을 가져야 한다고 했다. 리바이어던, 바로 나처럼 강한 힘 말이다."

"그래서 주권자가 그런 힘으로 지켜야 할 것이 평화란 말이야?"

"그래, 내가 지켜 주어야 할 최고의 것은 평화다. 각자의 자기보존의 원리가 지켜지도록 해야 한단 말이다. 어느 누구도 힘에 의해서 남의 권리를 빼앗지 않는 것, 남에게 빼앗기지 않는 것, 그것을 지켜야 한다. 모든 사람이 도덕적 이념이나 양심을 가지고 지켜 준다면 좋겠지만 그것만으로는 강제성이 없기 때문에 어느 누구보다 강한 국가의 힘이 필요한 것이지."

– 《홉스가 들려주는 리바이어던 이야기》 중에서

생각 쓰기

㉮ 왕권신수설이란 절대주의 국가에서 왕권은 신으로부터 주어진 것이므로 왕은 신에 대해서만 책임을 지며, 국민은 왕에게 저항해서는 안 되고 왕에게 절대복종하여야 한다는 이론이다. 즉 왕이 휘두르는 국가권력을 신으로부터 부여받은 것으로 보았던 것이다. 따라서 왕이 행사하는 국가권력에 반대하거나 복종하지 않으면 신에 대해 반대하거나 복종하지 않는 것이라고 보았다. 이런 점에서 국민은 왕의 권력에 반대하거나 불복종할 수 없는 것이다.

㉯ "당시 사람들은 나를 달가워하지 않았다. 그 시대에 홉스 할아버지는 나라가 폭동이나 전쟁에 휩싸이는 것보다는 왕에게 복종하여 평화를 얻는 편이 덜 불행할 것이라고 생각했지만 국민들은 절대 권력을 펀드는것 이라고 비난했고, 왕만큼이나 힘 있는 세력이었던 종교계에서는 도덕과 신앙을 배격하는 무신론자라고 비난하고…… 하지만 당시의 정치적 상황에 대해 알게 된다면 그렇게 말할 수만은 없을 거다. 홉스 할아버지 시대의 정치는

시민이 아닌 신, 즉 종교인과 극소수의 귀족과 왕이 통치하던 시절이었다. 형식적인 법은 있었지만 쓸모없었고, 왕과 귀족, 종교인들의 무자비한 정치로 시민들은 고통을 받았다. 그래서 홉스는 처음으로 시민들 중에서도 돈 많은 사업가나 상류층에 의한 법의 제정을 통한 정치를 주장했다. 이것이 홉스의 한계이기는 하지만 그 당시로는 처음으로 왕의 무자비한 정치에 대해 제한을 하고 시민에게 주권을 넘겨줄 것을 이야기한 것이어서 아주 획기적인 일이었지.”

“나라의 주권이 시민에게 있는 것! 그걸 민주주의라고 해. 우리나라도 민주주의 국가야. 아, 말꼬리 잘라서 미안. 얘기 계속해.”

나는 또 배운 내용이 나오자 반가운 마음에 아는 체를 했다.

– 《홉스가 들려주는 리바이어던 이야기》 중에서

생각 쓰기

"야, 우리 너무 대단한 거 같지 않냐? 홉스가 말한 사람의 본성을 우리는 벗어났잖아. 남과 비교만 하고, 남의 떡이 더 커 보인다, 그런 게 사람이라고 했는데 우리는 아니잖아. 내가 이만큼 가졌으면 됐다, 이런 생각하는 게 어디 쉽냐? 우린 역시 대단해."

영준이가 그렇게 말하니 나도 괜히 으쓱했다. 마음이 행복해지는 법, 행복해지기 위한 100가지 방법, 이런 책에 보면 있는 말이 그런 거였지 아마? 엄마가 열심히 읽던 책에서 언뜻 본 것 같다. '남이 가진 것을 넘겨다보지 말고 내 손에 든 것에 감사해라' 그런 거 말이다.

어른들이나 읽는 어려운 수양책인 줄 알았는데 우리는 그것을 몸으로 실천하고 있다니! 대단한 학생들이지 않아?

"네 덕에 홉스를 알았기 때문이겠지. 우리가 자연 상태의 사람들처럼 살 순 없잖아?"

"내 덕은 무슨. 네가 꿈에서 배운 게 더 크겠지. 리바이어던도 직접 만나고. 너는 좋았겠다, 하하하."

영준이가 놀리듯이 말하더니 한마디 덧붙였다.

"사람들에게 필요한 건 리바이어던 같은 강력한 통치자가 아니라 마음을 바꾸는 일인 것 같아. 홉스의 말대로 인간은 이성을 가진 존재잖아? 계속 욕심만 내고 나만 더 가지려 하고, 남의 것과 비교할 것이 아니라, 나와 다른 사람들의 행복을 위해서 서로 조금씩 양보한다면 정말 행복한 국가를 만들 수 있지 않겠어? 사람들이 모두 우리처럼만 생각한다면 세상은 평화, 우리 모두 행복! 그럴 텐데……."

앗! 드디어 영준이에게 나의 다른 면을 보여 줄 수 있는 기회가 왔다. 우하하! 나도 영준이 앞에서 고차원적인 이야기를 좀 해 보겠군.

"그대 자신에게 해 주기를 원하지 않는 것을, 타인에게 하지 말라!"

"아니, 인석이 너 어디서 그렇게 멋진 말을?"

나는 짐짓 별거 아니라는 듯 목소리까지 가다듬으며 말을 이었다.

"여기서 좀 더 나아가서, 흠흠. 타인에게서 내가 받길 원하는 것을 타인에게 해 주어라! 모든 사람들이 이것만 명심한다면 요즘 같은 경쟁 사회에서도 평화롭게 서로를 사랑하며 살 수 있겠지? 그게 홉스가 바라는 이상적인 국가의 시민상 아니었을까 싶은데, 자네 생각은 어떠신가?"

— 《홉스가 들려주는 리바이어던 이야기》 중에서

1 주권

　　주권이란 국가의 의사를 최종적으로 결정하는 최고의 권력을 말한다. 주권이 누구에게 있느냐에 따라 몇 가지로 구분될 수 있다. 예를 들어 주권이 군주에게 있으면 '군주주권', 귀족에게 있으면 '귀족주권', 그리고 국민에게 있으면 '국민주권' 등으로 나뉜다. 오늘날 이러한 주권은 영토, 국민과 함께 국가를 형성하는 세 가지 요소 중에 하나이다.

2 왕권신수설

　　절대주의 국가에서 왕권은 신으로부터 주어진 것으로, 왕은 신에 대해서만 책임을 지며, 국민은 저항권 없이 왕에게 절대복종하여야 한다는 정치 이론이다. 결국 왕권신수설은 왕이 절대 권력을 행사하는 형태로 나타난다.

3 민주주의

　　민주주의는 국가의 주권이 국민에게 있고 국민을 위하여 정치를 행하는 제도, 혹은 그러한 정치를 지향하는 사상을 뜻한다. 민주주의 역시 그 해석에 따라 여러 갈래로 나뉠 수 있지만 국가의 의사를 결정하는 모든 권력이 국민으로부터 나온다는 기본 원리에는 변함이 없다.

4 수양

몸과 마음을 갈고 닦아 품성이나 지식, 도덕 따위를 높은 경지로 끌어 올리는 것을 말한다.

아비투어 철학 논술

예시 답안

① 홉스는 영국의 철학자로 《리바이어던》을 쓴 사람이다.

② 홉스는 15세에 옥스퍼드대학교에 입학하여 논리학과 철학을 배웠다. 뿐만 아니라 수학과 과학에도 관심이 많았다.

③ 홉스는 대학을 졸업하고 가정교사 일을 하였는데, 영국 왕 찰스 1세의 아들 찰스 2세의 가정교사이기도 했다.

④ 청교도혁명으로 영국에서 쫓겨난 홉스는 프랑스에서 더욱 열심히 철학을 공부하였다.

⑤ 홉스는 《리바이어던》을 통해 이상적인 국가의 모델을 제시하였다.

⑥ 홉스는 인간의 본성이 이기적이라고 보았고, 그래서 국가를 유지할 강력한 왕권이 필요하다고 주장하였다.

주 제 탐 구　**01**　㉦　'만인 대 만인의 투쟁'은 무엇인가요?

case 1　　제시글의 내용을 살펴보면 자연 상태에서 인간의 상황이 어떠한지를 잘 알 수 있다. 제시글에서처럼 자연 상태란 서로 경쟁하는 상태이다. 인간은 행복해지기 위해서 무언가를 끊임없이 바라는데, 바라는 그것을 갖기 위해 힘으로 상대를 쓰러뜨리고 짓밟는 싸움 상태에 들어가게 된다. 즉 자연 상태에서 인간은 다른 사람과 친구가 아닌 적으로 만나는 것이다. 만약 사람들이 갖고 싶어 하는 것이 풍족하다면 서로 싸울 일이 없겠지만, 그 양이 부족하다면 서로 갖겠다고 싸울 것이다. 위의 제시글에서처럼 나무 열매는 몇 개 없는데 갖고 싶어 하는 사람들이 많은 경우처럼 말이다. 사람들이 서로 나누고 부족하더라도 상대방을 배려한다면 싸울 일이 없을 것이다. 그러나 자기의 이익만을 생각하고 행동한다면 상대방이 갖고 있는 것을 빼앗더라도 자신의 욕구를 만족시키려 할 것이다. 따라서 열 명이 있으면 열 명이 싸우고, 백명이 있으면 백 명이 싸우는 만인 대 만인의 투쟁 상태가 되는 자연 상태의 원인은 인간의 욕심과 그에 비해 부족한 자원, 그리고 이기적인 인간의 본성 때문이라고 할 수있다.

case 2 홉스는 인간은 본성적으로 이기적이고 욕심이 많다고 주장했다. 어떤 사람들은 이것을 두고 홉스가 '성악설(타고난 성품이 악하다)' 을 주장했다고도 하지만, 홉스는 이기적인 인간의 본성이 그 자체로 악이라고(나쁘다고) 보지는 않았다는 데 주의해야 한다. 다시 말해서 인간의 본성이 이기적이라고는 했지만 인간의 본성이 악하다고 말하지는 않았다는 것이다. 본성이란 결국 인간이 태어날 때부터 갖는 타고난 성품이라고 할 수 있다. 홉스에 따르면 인간은 태어나는 순간부터 자신의 이익을 추구하는 존재라고 말할 수 있는 것이다.

case 3 홉스는 인간의 본성이 이기적이라 생각했고, 그래서 자연 상태에서 인간은 항상 서로 싸울 수밖에 없다고 보았다. 그런데 이러한 싸움 상태는 결국 자신의 생명마저 위태롭게 하는 지경에 이르게 된다. 그래서 사람들은 무섭고 불행한 자연 상태에서 벗어나려고 약속을 통해 인위적으로 국가를 만들게 된다. 자기보존을 위해 투쟁하지만 오히려 자기보존이 위태로워진다고 판단한 인간이 자기를 보호하고 안전을 보장받기 위해 국가를 탄생시킨다는 것이다. 인간은 사회계약을 통해 공동의 권력, 즉 통치권자를 세우는 일이 곧 자신의 보호와 안전망을 만들어 내는 일임을 깨닫게 된다.

주 제 탐 구 **02**강 홉스가 생각하는 이상적인 국가의 모습은 무엇인가요?

case 1 홉스가 생각하기에 이런 자연 상태에서 벗어나는 길은 강력한 권력을 가진 전제군주가 다스리는 국가를 형성하는 것이었다. 국가에 대한 홉스의 설명은 다음과 같은 비유를 통해 잘 나타난다. 왕은 사람의 영혼이고, 신하는 사람의 관절과 같으며, 국가에서 백성에게 내리는 상이나 벌은 사람의 신경에 해당한다. 국가를 다스리는 정치가는 사람의 기억력에, 국가의 평등은 사람의 이성에, 국가의 법은 사람의 의지에 비유하면서 가장 중요한 것은 영혼에 해당하는 왕이라고 생각하였다. 그래서 아무리 왕이 정치를 잘못하여도 왕을 마음대로 할 수는 없었다. 왜냐하면 왕을 끌어내리는 것은 다시 자연 상태로 돌아가자는 것과 같은데, 자연 상태는 앞서 말했듯이 싸움이 끊이지 않는 혼동 상태이기 때문이다. 사람들은 자신을 보호하고 안전을 보장하기 위해 자신의 권리를 힘이 있는 존재에게 넘겨주는데, 이것이 바로 개인과 국가가 맺는 사회계약이다. 이런 계약 위에서 국민의 안전을 보호하고 평화를 지켜야 하는 것이 바로 국가의 임무이고, 국민은 자신의 안전을 보장할 수 없는 자연 상태로 되돌아가지 않기 위해 모든 권위를 부여받은 국가에 복종해야 할 임무가 있다.

case 2 홉스는 만인에 대한 만인의 투쟁 상태에서 벗어나 질서와 평화를 이루기 위해서는 절대적인 권력이 필요하다고 생각했다. 모두의 자연적인 권리를 양도하는(넘겨주는) 사회계약에 의해 그러한 절대 권력이 생겨난다고 보았기 때문이다. 이러한 절대 권력에 모든 사람이 복종한다면 다툼이 있을 수 없을 것이다. 그렇다면 홉스가 절대 권력을 휘두르는 독재자를 옹호했던 것일까? 그렇지 않다. 홉스가 말하는 절대 권력이란 사람들의 자발적인 계약에 의해 성립된 것이었다. 즉 정치 공동체의 주권이 어디까지나 국민에게 있다는 것이다. 왜냐하면 홉스가 말하는 절대 권력은 사회의 구성원들이 행복을 추구하기 위한 목적으로 맺은 계약이며, 개인의 자발적 의지에 의해 생겨난 것이기 때문이다. 결국 홉스가 말하는 주권이란 개개인에게 주인된 권리가 있다는 민주주의 주권 원리의 뜻을 담고 있는 것이다. 홉스의 주장을 좀 더 깊이 들여다보면, 절대 권력이 처음의 계약을 위반했을 경우에는 계약의 주체인 국민이 절대 권력을 무효로 만들어 버릴 수 있는 권리에 대한 이야기도 있다. 국민들의 생명 보존이 위협받는 어떤 상황에 이른다면 말이다. 그렇기 때문에 홉스의 생각이 독재자와 같은 절대 권력이나 절대왕권을 정당화시키기 위한 논리에 불과하다는 비판은 홉스의 뜻을 제대로 이해하지 못한 것이라 할 수 있다.

case 3 홉스는 당시 혼돈스러운 정치 상황을 겪으면서 평화로운 국가를 만들기 위한 해결책을 제시하고자 했다. 그가 말하는 이상적인 국가는 국민의 평화와 안전을 보장하는 국가였다. 그리고 국민은 이러한 국가의 권력에 복종하는 것이었다. 또한 국민은 '평화를 추구하라' 는 자연법의 제1명령에 따라 자신의 안전이 위협받는 경우를 제외하고는 평화를 유지하기 위해 노력해야 한다. 이는 이기적인 본성 외에 인간이 갖고 있는 이성의 능력을 발휘했을 때 얻어지는 것이다.

사실 자연 상태가 평화로웠다고 보는 로크나 자연 상태가 더 이상적이라고 보는 루소가 말하는 이상적인 국가의 모습은 홉스와 달랐다. 로크는 시민은 최소한의 질서 유지를 위해 최소한의 권리만 국가에게 넘겨주면 된다고 보았고, 루소는 로크보다 한 단계 더 나아가 모든 시민은 평등하게 정치적 권력을 갖고 태어났으며 대등한 권리를 갖고 올바른 정치를 위해 함께 노력해야 한다고 했다. 그래서 루소는 직접민주주의의 선구자라고 불리기도 한다. 루소는 홉스나 로크처럼 재산이 많은 사람뿐 아니라 모든 민중을 나라의 주인인 시민으로 본 것이다.

철학자가 들려주는 철학이야기 009

공자가 들려주는 인 이야기

저자_유성선
현재 강원대학교 철학과 교수로 재직 중이다.

공자

孔子

다음 글을 읽고 공자는 어떤 사람이었는지 요약하시오.

공자(孔子, 기원전 551~479)의 이름은 구(丘)이고 자는 중니(仲尼)이다. 그는 인류 역사에서 4대 성인 가운데 한 사람으로 꼽히는 유명한 학자이다.

공자는 노나라에서 태어났으며 공자의 아버지는 대부 벼슬을 지낸 사람이었다. 하지만 아버지를 일찍 여의고 어려운 어린 시절을 보낸 공자는 20세 무렵, 창고 관리와 정부의 가축을 돌보는 직책을 맡으며 춘추시대의 혼란한 모습을 가까이서 체험할 수 있었다.

역사 기록에 따르면 어머니의 장례를 치렀던 23세 무렵에 공자에게는 이미 그를 따르는 제자들이 있었다.

공자는 30대부터 제자들과 함께 세상을 돌아다니며 많은 지식을 쌓았고, 50세 이후 몇 년간은 고국 노나라에서 지금의 대법관 정도에 해당하는 대사구(大司寇)를 맡아 큰 업적을 이루었다.

그러나 이웃 나라들의 방해로 자신의 뜻을 이룰 수 없자 다시 여러 나라를 돌아다니며 자신의 사상을 받아 줄 임금들을 찾아 다녔고, 그런 상황에서도 꾸준히 제자들을 가르쳤다.

일생 동안 72명의 임금을 만나고 돌아다닌 공자는 68세 무렵 고향으로 돌아와 고전과 역사 문헌을 정리하고 제자들을 가리키면서 삶을 마쳤다.

생각 쓰기

주 요 개 념 및 배 경 지 식

1 노나라

노나라는 주나라 무왕의 동생 주공이 나눠 받은 국가로 주나라의 제후가 다스렸던 곳이다. 주나라는 당시 봉건제도를 실시하였다. 봉건제도란, 천자인 왕이 제후들에게 땅을 나눠 주면, 제후들이 자신이 맡은 나라를 다스리는 것을 말한다. 그래서 주나라는 여러 나라들로 구성되어 있다. 노나라는 지금의 중국 산동성 근처의 지대를 말한다.

2 춘추전국시대(春秋戰國時代)

기원전 8세기에서 기원전 3세기에 이르기까지, 중국의 춘추시대와 전국시대를 합쳐서 '춘추전국시대'라고 부른다. 춘추시대가 시작되는 시기는 기원전 770년, 주왕조가 낙양으로 내려간 뒤, 노나라의 연대기인 《춘추》에 기록된 첫 해를 말한다. 반면 전국시대가 시작되는 시기는 진나라의 귀족인 한, 위, 조 3씨가 실권을 잡은 해(기원전 453년), 또는 이 3씨가 정식 제후로 올라간 해(기원전 403)를 말하며 기원전 221년 진시황제가 이 세 나라를 통일하면서 막을 내린다.

1강 《논어》에 대한 이해

01강 《논어》에 대한 이해

case 1 다음은 공자의 《논어》에 대한 설명이다. 오늘날 인류에게 《논어》가 갖는 의미와 가치에 대해 논술하시오.

공자의 사상은 오경(五經)을 비롯한 중국 고대 문헌에서 찾아볼 수 있는데, 그중에서도 공자의 생각을 가장 잘 드러내고 있는 책이 바로 《논어》이다. 한나라 때의 역사가 반고(班固)는 '논어'라는 명칭에 대해 《한서예문지(漢書藝文志)》에서 다음과 같이 말했다.

"논어에는 공자가 제자들이나 당시 다른 사람들의 질문에 대답한 말과 제자들이 서로 주고받은 말들, 그리고 선생님으로부터 직접 들은 말들이 담겨 있다. 당시 제자들이 각기 적어 두었던 것을 선생님께서 돌아가신 뒤에 의논하여 편찬하였기 때문에 이 책을 논어라고 하였다."

그러므로 '논어'는 공자와 그 제자들이 했던 말을 의논하여(論) 편찬한 말(語)이라는 뜻을 품고 있다.

《논어》가 처음 만들어진 시기는 춘추전국시대이지만, 지금의 모습으로 다듬어진 것은 바로 한나라 때이다. 진시황이 학자들의 책을 강제로 불태웠던 사건이 바로 '분서갱유' 인데 이 시기에 있었던 공자의《논어》역시도 같은 운명을 겪게 되었다. 그 뒤 제나라 지방에 남은 것과 노나라 지방에 남은 것, 그리고 공자의 옛 집 벽에 감추어 두었던 것까지 세 종류가 남았는데, 노나라 것을 중심으로 이 세 책을 종합한 것이 바로 지금의《논어》이다.《논어》는 모두 20편이며 각 편의 이름은 처음 나오는 문장의 앞머리 두세 글자를 따서 붙였다.《논어》는 근대까지 동아시아 지역 모든 지식인들의 필독서였으며, 우리가 쓰는 '살신성인(殺身成仁)' 이나 '극기복례(克己復禮)' 같은 대부분의 교훈적인 말들이 들어 있다.《논어》속에 담긴 사상 중 공자가 가장 중요하게 생각한 것은 인(仁)이다.

생각 쓰기

----

1 진시황(秦始皇)

진시황이 살았던 시기는 기원전 259년에서 기원전 210년까지로 알려져 있다. 그는 중국 최초의 중앙집권적 통일 제국인 진나라를 건설한 전제군주이다. 성은 영(嬴), 이름은 정(政)이며 장양왕의 아들로서 13세에 즉위하였다.

진시황은 강력한 부국강병책을 써서 기원전 230~221년에 한·위·초·연·조·제나라를 차례로 멸망시키고 천하를 통일하는 데 성공했다. 그는 통일 후 스스로를 시황제라 부르고 강력한 중앙집권정책을 추진하였다. 진시황이 이뤄 낸 업적은 다양하다. 법령의 정비, 전국적인 군현제 실시, 문자·도량형·화폐의 통일, 전국적인 도로망의 건설, 구 6국의 성곽 요새의 파괴 등이 모두 그의 업적이다. 그러나 반란의 소지를 제거하고 사상을 통일하기 위해 학자들의 책을 태워 버리는 분서갱유를 명령하기도 했다.

2 분서갱유

　중국의 진나라 시황제가 자신의 정치·사상·언론에 대해 비판하는 학자들을 억압하기 위해 학자들이 쓴 책을 불로 태우고, 학자들을 산 채로 구덩이에 묻어 유학자들의 엄청난 비난을 받은 사건이다.

유가 윤리 사상은 인(仁)을 중심 관념으로 하고 효(孝), 제(弟), 서(恕), 충(忠), 신(信) 의(義), 이(利) 등을 그 실천 항목으로 하고 있다. '인' 은 공자 사상의 중심 개념으로서 인성에 근본을 둔 인간의 합리적인 행동으로 표현된다. 이러한 합리적 행동이 부모를 위해 행해질 때 우리는 그것을 '효' 라고 부르고, 형제에게 실행될 때 '제' 라고 부른다. 그리고 남을 위해 맡은 바를 다하는 것을 '충' 이라고 부르고, 나의 마음에 미루어 다른 사람을 헤아리는 것을 '서' 라고 한다. 또 유가의 합리적 행동은 의(義)를 존중하고 이(利)를 가벼이 여기며 자신의 수양을 통해 다른 사람들을 편안하게 해 줄 것을 요구한다. 여기서 의(義)란 인간이면 마땅히 따라야 할 도리를 말하며, 이는 물질적으로나 정신적으로 득이 되는 것을 얻는 것을 뜻한다. 그러므로 만일 유가 철학을 중국 문화의 중심 사상으로 본다면 공자가 제창한 도덕철학이야 말로 유가 사상의 근본이라고 할 수 있다.

생각 쓰기

주 요 개 념 및 배 경 지 식

1 인(仁)

남을 사랑하고 어질게 행동하는 것을 말하며, 공자가 주장하는 유교의 주요 이념이기도 하다.

2 효(孝)

부모에 대한 효성 즉, 어버이를 잘 섬기는 것을 말한다.

3 제(弟)

형과 아우 사이의 우애 즉, 형제간의 사랑을 말한다.

4 충(忠)

마음속에 허위나 가식 없이 임금이나 국가를 진실한 태도로 우러르는 마음을 말한다.

5 신(信)

상대를 믿는 성실한 마음을 말한다.

6 의(義)

사람으로서 마땅히 지켜야 할 도덕적 도리를 말한다.

7 리(利)

물질적으로든 정신적으로든 이득을 얻는 것을 말한다.

공자에 따르면 군자가 되기 위해서는 우선 배워야 한다. 따라서 공자는 학문을 몹시 중요시했다. 《논어》는 '배우고 때로 익히니 즐겁지 아니한가' 로 시작된다. 공자가 말하는 학문은 지식 습득만을 뜻하는 것이 아니며, 넓은 뜻으로 도덕적 수양을 포함했다.

생각 쓰기

1 오경(五經)

유교의 5가지 경서를 뜻하는 말로, 공자가 편찬하고 저술에 관계했다고 하여 존중되는 경서 가운데 특히 중요한 것으로 꼽힌다. 오경은《역경(易經)》,《서경(書經)》,《시경(詩經)》,《예기(禮記)》,《춘추(春秋)》를 지칭한다.

또한 오경은 중국의 전통적 정신문화의 정수(精髓-가장 중요한 것)를 보여 주는 것이다. 이는 영원히 변하지 않는 규범으로, 정치적으로나 윤리적으로 실천에 옮기는 것을 학문의 기본으로 생각하였다. 사서(四書)와 함께 한국의 사상이나 학문에 큰 영향을 미쳤다.

2 유가 사상

공자를 개조(開祖)로 하여 발전해 온 중국의 대표적 철학 사상이다.

유가 사상은 흔히 유교(儒敎)와도 혼동되나 엄밀하게 말하면 유교는 한대(漢代)에 공자를 성인으로, 유학을 성교(聖敎)로 추앙하여 탄생한 일종의 정치성과 종교성을 띤 이념을 의미하는 것이다. 따라서 철학 사상으로서의 유가 사상 또는 유학과는 구별된다. 공자가 태어난 춘추시대는 주나라의 봉건제도가 무너지고 제후들이 무력을 바탕으로 자칭, 타칭으로 왕을 칭하고 나온 정치적, 사회적 혼란기이며 변혁기였다. 공자는 이러한 시대를 문제로 인식하고, 이것의 해결을 과제로 삼아 당시를 무도한 세계, 즉 무도지계(無道之界)를 도가 있는 세상, 즉 유도지계(有道之界)로 만드는 것을 이상으로 삼았다. 그는 이 문제 해결의 실마리를 예(禮)와 악(樂)의 조화로 잘 통치되었던 주대(周代)의 문물제도를 되살리는 데서 찾으려 하였다.

3 군자(君子)

중국 주(周)나라 때부터 사용된 용어로, 유교에서 도덕적으로 완성된 인격자를 말한다. 유교에서는 성인이 되는 것이 목표이며, 성인이란 최고의 인격자로, 천인합일(天人合一)의 경지에 이른 사람이다.

아비투어 철학 논술

철학 논술

예시 답안

① 공자는 중국의 노나라에서 태어났다.

② 공자는 일찍이 아버지를 여의고 힘든 어린 시절을 보냈다.

③ 공자는 창고 관리와 정부의 가축을 돌보는 직책을 맡으며 혼란스러운 춘추시대를 살았다.

④ 공자는 자신의 사상을 받아 줄 임금들을 찾아 많은 나라를 돌아다녔다.

⑤ 공자는 많은 제자들을 가르쳤으며 고전과 역사 문헌을 정리하고 제자들을 가르치다 세상을 떠났다.

주 제 탐 구　**01**강　《논어》에 대한 이해

case 1　인류는 선(善)을 지향하며, 이를 바탕으로 점점 발전해 왔다. 그러므로 선을 오늘날 인류가 쌓아 올린 위대한 업적으로 보아도 좋을 것이다. 그러나 인류는 아직도 악(惡)의 어둠과 싸움의 두려움에서 완전히 벗어나지 못하고 있다. 개인적 존재로서의 인간과 사회적 집단으로서의 인간은 물질과 정신을 조화시킬 줄 알아야 한다. 동시에 서로 대립하며 싸우는 것을 삼가고, 서로 도와가며 평화를 유지해야 할 것이다.

원래 인류는 동물적 원시 상태에서 점차 문명화된 사회로 발전해 왔다. 그러나 그 발전 과정은 그리 순탄하지 않았고, 오늘날에도 많은 문제를 낳고 있다. 하지만 오늘날까지도 지혜로운 학자들의 가르침 덕분에 많은 선의 힘이 악의 힘을 눌러 이겨 왔다. 이러한 선과 악의 대립은 오늘에도 치열하게 전개되고 있다. 더욱이 오늘날에는 사람들이 물질과 과학에 현혹되어 인류가 그동안 쌓아 올렸던 많은 정신적 가치를 고의로 부정하거나 망각하고 있다.

앞으로 무한히 발전할 가능성이 있는 인류가 한시라도 빨리 인간성을 회복하고 물질보다는 정신을 높이 여길 줄 알아야 한다. 또 인류 사회의 조화와 평화적 윤리를 되찾아야 한다. 그러기 위해서 우리는 고전적 가치가 있는 성현들의 가르침과 기록을 읽고 따라야 한다. 이러한 고전 중 동양의 으뜸가는 경전이 바로 《논어》이다.

case 2 인(仁)은 공자의 도(道)라고 불릴 만큼 공자의 사상을 이해하는데 절대적으로 중요하다. 그 해석도 다양해서 인(仁)은 곧 친(親)이라고 했으며, 《예기(禮記)》에서는 인(仁)을 곧 인(人)이라고 하기도 했다. 또 《논어》에선 인(仁)을 지(知)와 묶어서 나타내기도 했다. 또한 인(仁)은 인(人)과 이(二)가 합쳐진 글자로 사람과 사람 사이의 기초적인 덕목이라고 하기도 했다. 하지만 궁극적으로 공자가 인의 개념을 통해 나타내려 했던 것은 아주 단순하고 명쾌하다고 볼 수 있다. 인(仁)이란 한마디로 '사람을 사랑하는 것'이다.

공자는 문인들에게 군자가 되라고 가르치면서 여러 가지 덕목을 제시하였다. 덕목이란 사람으로서 갖추어야 할 덕의 중요한 항목을 열거한 것으로써, 사람들의 수양의 지표가 되는 것이다. 공자가 말한 주요한 덕목은 인(仁), 서(恕), 충(忠), 신(信), 효(孝), 제(弟) 등인데 이중 가장 중요한 것은 바로 인(仁)이다.

case 3 옛날이나 지금이나 얕은 지식을 머릿속에 축적했다고 하여 사회가 향상되고 덕치(德治)가 이루어지는 것은 아니다. 좋은 지식, 바른 학식을 사랑하며, 헌신을 다해 사회를 위해 실천해야 한다. 그런 의미에서 공자는 지(知), 인(仁), 용(勇)을 가르쳤고, 이것을 몸에 익히는 것까지를 포함해서 '배움(學)'이라고 했다. 배움(學)은 남의 착한 행동을 같이하는 동지적 결합과 단결된 힘으로서, 배움이 있어야 이상 세계가 실현될 수 있다고 생각했기 때문에 공자는 "뜻을 같이하는 학우들이 멀리서 찾아와 모이니 이 또한 기쁘지 아니한가"라고 말했다. 또한 공자는 "학문(學文)과 덕행(德行)은 사회를 위해 나를 헌신하기 위한 것이지, 나만 잘살고 나의 이름을 팔기 위한 것이 아니다"라며 자신의 확고한 주장을 강조했다. 따라서 혹 남이 알아주지 않는다 하여도 노여워하지 않는 자가 진정한 군자라 할 수 있다.

Abitur

정약용이 들려주는 경학 이야기

저자_박민수

연세대학교 독문과를 졸업하고 동 대학원에서 석사 학위를 받았다. 지금은 독일 베를린 자유대학에서 '근대 미학에서 미적 가상의 개념'이란 주제로 박사 논문을 준비하고 있다. 전문 번역가로도 일하고 있으며, 그동안 번역한 책으로는 《우리의 포스트모던적 모던》, 《데리다-니체, 니체-데리다》, 《신의 독약》, 《책벌레》, 《크라바트》 등이 있다.

정약용

丁若鏞

다음 글을 읽고 정약용이 어떤 사람이었는지 요약하시오.

정약용(1762~1836)은 경기도 광주군 마현 마을에서 태어났다.

"정약용은 어렸을 때부터 천재 소리를 들었고 22세 때는 성균관에 입학하였으며, 28세 때 과거에 급제하였다. 한강에 배다리를 성공적으로 건설하였으며, 임금님의 명을 받아 수원 화성을 설계하였고, 거중기를 만들어 공사비와 기간을 단축시켰다. 암행어사가 되어 탐관오리를 처벌하기도 하였고, 곡산에 부사로 있을 때에는 백성들의 목소리에 귀를 기울이는 훌륭한 벼슬아치였다. 그러나 반대파들이 많아 1800년 봄에는 고향 마현 마을로 돌아왔으며 학문에만 힘썼다.

(……)

"1800년 정조 임금이 사망하자 더 이상 보호막이 없어진 정약용은 반대파들의 모함을 받아 경상도 장기에 유배되었다가 이듬해 정약용이 40세 되던 해 전라도 강진으로 유배지를 옮겼다. 그는 귀양지에서 18년 동안이나 갖은 고생과 고통을 겪었으나 단 한 번도 좌절하지 않고 무수한 책을 썼으며, 이와 같은 활동을 통해 자신의 사상을 발표함으로써 실학사상의 집대성

자로 추대되었다. 또한 그는 유배지에서 백성들의 어려운 처지를 돌봐 주었으며 그들의 빈곤한 처지를 동정하였다.

1818년, 그의 나이 57세에 정약용은 비로소 귀양에서 풀려나 그리운 고향마을 마현으로 돌아왔다. 그 뒤 그는 학문에만 힘썼으며 철학, 역사, 정치, 경제 등 광범위한 영역에 걸쳐 500여 권에 달하는 방대한 책을 썼다. 그리고 1836년 2월 22일 75세를 일기로 고결한 인생을 마쳤다. 그는 여전히 조선시대 최고의 학자로 인정받고 있다."

— 《정약용이 들려주는 경학 이야기》 중에서

생각 쓰기

1 성균관

성균관은 조선시대 최고의 교육기관이다. 성균관은 고려 말에 만들어진 제도였으며, 조선 왕조가 세워지면서 이를 계승했다. 성균관의 정원 수는 150명이었으나 나중에는 200명으로 늘어났다. 조선의 교육제도는 과거제도와 긴밀한 관계가 있었고, 성균관도 예외는 아니었다. 그래서 성균관에 입학하고자 하는 사람들 중에서 우선권은 과거 초시에 합격한 유생들에게 있었다.

2 과거

과거는 고려와 조선시대에 관료를 뽑기 위해 국가가 시행한 시험을 말한다. 과거에는 문관을 뽑는 시험인 문과와 무관을 뽑는 시험인 무과, 그리고 기술관을 뽑는 시험인 잡과가 있었다. 그리고 이런 과거에 합격하는 것을 '급제' 라고 불렀다.

3 배다리

배다리는 작은 배 여러 척을 한 줄로 띄우고 그 위에 널판을 길게 연이어 얹어 만든 다리를 말한다.

4 거중기

거중기는 옛 사람들이 만들어 썼던 기계이다. 이 기계는 주로 규모가 큰 건축이나 토목공사에서 무거운 물건을 들어 올리는 데에 쓰였다.

5 암행어사

암행어사는 조선시대의 벼슬 명칭이다. 이것은 왕의 특명을 받아 지방 관리의 치적이나 비행을 조사하고 백성의 생활 사정을 살폈던 임시 벼슬이었다. 암행어사로 임명된 사람은 신분증이라 할 수 있는 마패를 지니고 다녔다.

6 탐관오리

탐관오리(貪官汚吏)는 한자를 그대로 풀어 보면, 백성의 재물을 탐내어 빼앗는, 행실이 깨끗하지 못한 관리라는 뜻이다.

7 귀양 · 유배

　귀양은 고려와 조선시대의 형벌 중 하나로, 죄인을 먼 시골이나 섬으로 보내 일정 기간 동안 그곳에서만 살게 하는 것이다. 유배는 귀양과 거의 같은 뜻으로 쓰인다.

01강 경학, 경세학, 실학

case **1** 정약용의 학문 체계의 바탕이 되는 것은 경학이다. 다음 글을 읽고 경학은 어떤 학문이며, 정약용은 어떤 생각을 갖고 경학을 했는지 말해 보시오.

"경학은 중국 유가 사상의 경전을 연구하는 학문이오. 아니, 학문이지. 경전이라는 것은 덕과 현명함을 갖춘 위인이 지은 책이나 그러한 위인의 말이나 행동을 적어 놓은 책을 말해. 유가 사상에서 훌륭한 위인을 꼽으라면……."

"공자, 맹자 이런 분들 아니에요?"

"똑똑하구나. 마치 나의 어린 시절을 보는 듯해."

"히히. 시립 도서관에서 책을 많이 읽었거든요."

"공자, 맹자 등의 경전을 공부하고 연구하는 학문을 바로 경학이라고 하는 거란다. 그렇지만 나는 단지 경전을 공부하는 것에 그치지 않고 새롭게 해석하여 실제 생활에 실천 가능하게 하고 싶었다. 일상생활에 전혀 쓸모없는 학문이 무슨 소용이겠니? 진짜 선비의 학문은 나라를 다스리고 백성을 편안하게 하며 적을 물리치고 재물을 넉넉하게 하는 등 생활에 활용할 수 있는 것이어야 한다. 어찌 책상에 앉아서 글이나 짓고 쓸데없는 공부만 하는 것이 선비의 학문이겠니?"

나는 고개를 끄덕였다. 아저씨의 말은 구구절절 옳다.

"맞아요, 아저씨. 저도 학교에서 배운 수학으로 어려운 돈 계산을 척척 해낼 땐 정말 뿌듯해요."

"나는 이론 위주인 경전을 새롭게 재해석하여 공자, 맹자가 진짜로 무엇을 말하려고 했는지 알아내려는 데 힘썼단다."

- 《정약용이 들려주는 경학 이야기》 중에서

경학자들은 단순히 경전의 본래 뜻을 탐구하거나 해설하는 것만이 아니라, 자신의 사상적 또는 정치적 노선에 따라 해석하였습니다. 따라서 경전의 해석에는 해석자의 역사, 문화, 철학, 윤리적 입장과 정치, 사상적 방향을 대변하기 때문에 경전을 어떻게 해석했는가를 따지는 것은 매우 중요한 일입니다.

다산은 이론 위주의 육경과 사서(논어, 맹자, 중용, 대학)를 새롭게 재해석하여 공자, 맹자의 본지(本旨)가 무엇인가를 해명하는 데에 힘썼습니다.

- 《정약용이 들려주는 경학 이야기》 중에서

생각 쓰기

"나는 (……) 이렇게 연구한 경학을 통해 인간 됨됨이를 수양하고, 경세학으로 세상과 나라를 경영하려고 했단다."

"아저씨, 경세학은 또 뭐예요?"

"하하. 정말 대철이는 궁금한 게 많구나. 앞서 설명했지? 경학은 경전을 연구하는 학문인데 나는 그 학문의 정신대로 실천 가능하게 하고 싶었다고. 그것이 바로 경세학이다. 경세학이라는 것은 세상을 다스리는 학문, 즉 완성된 인격과 훌륭한 능력으로 세상과 나라에 봉사하고, 문제가 있으면 개혁을 하는 등 실천을 핵심으로 하는 학문이란다."

"아무튼 실천이 중요한 거군요!"

"그렇다. 나라에 이러이러한 문제가 있다는 것을 공부하고도 그것을 바꾸려고 하지 않는다면 무슨 소용이겠니? 우선 경학으로 인간 됨됨이를 갖추고, 경세학으로 실천을 해야 한다는 것이 바로 내 생각이란다. 또 아까 내가 말했던 실제 생활에 도움이 되는 학문과 같은 맥락이야. 공자, 맹자를 아무리 외친다고 해도 당장 배가 고픈데 밥이 없으면 어떻게 되겠니? 곧 굶어 죽고 말겠지. 학문이라는 것은 양반이고 천민이고 할 것 없이 모두 이해할 수 있어야 하는 거야. 그리고 실제 생활에 사용될 수 있는 것이어야 하고."

– 《정약용이 들려주는 경학 이야기》 중에서

생각 쓰기

"지난번에 아저씨께서 알려 주셨던 실학에 대해서 좀 더 자세히 설명해 주세요. 오늘 곰곰이 생각해 봤는데 이해가 잘 안 돼요. 지난번에 아저씨께서 실학은 실생활에 활용할 수 있는 학문이라고 하셨죠? 그럼 그전까지는 학문이 전혀 실생활에 도움이 안 됐단 말인가요?"

"하하, 그래. 정말 너를 보고 있으면 내 어린 시절을 보는 것 같구나. 처음부터 차근차근 설명해 주마. 조선 후기에 임진왜란과 병자호란이 일어나 우리나라 땅의 많은 부분이 황폐화되었단다. 그때의 백성들은 모두 농사를 지었는데 땅이 황폐화되었으니 당연히 식량 생산이 줄어들어 어려움을 겪게 되었지. 그런데 당시 정치가들은 백성들의 현실 생활과 동떨어진 정권 다툼에 온 힘을 쏟았다. 그리고 성리학을 연구하는 학자들도 백성들의 굶주림을 해결할 실생활의 학문보다는 과거 시험이나 예절이나 도덕만을 추구하는 공부만 하였단다. 그러니 당연히 많은 사람들이 비난을 하였겠지."

나는 얼굴을 찡그렸다.

"백성들은 화가 많이 났겠어요!"

"그래, 백성들뿐만 아니라 몇몇의 학자들도 학문은 백성들의 실제 생활을 풍족하게 하는 데 도움을 주어야 한다고 주장하기 시작했어. 그래서 실생활에 도움을 주는 학문을 하게 되었는데, 후세 사람들이 이를 '실학'이라 부를 게다."

"그럼 실학을 연구하는 학자들을 '실학자'라고 하는 거군요?"

"그래, 그렇단다. 실학자들은 크게 농업을 중시한 학자들과 상공업을 중시한 학자들로 나눌 수 있지."

—《정약용이 들려주는 경학 이야기》중에서

실학(實學)이란 말 그대로 실제 생활에 필요한 학문입니다. 그러나 그렇게 따진다면 실생활에 필요치 않는 것은 없습니다. 실학의 뜻을 실사구시(實事求是), 곧 '실제의 일에서 옳음을 구한다'는 데서 찾는데, 이 또한 실학의 성격을 나타내기도 합니다.

그러나 우리나라 학계에서는 실학을 조선조 17세기에서 18세기를 거쳐 19세기 초반까지 일어났던 특정한 학풍을 가리킵니다. 실학자들이라고 해서 실생활에 필요한 것만 연구한 것은 아닙니다. 생활에 필요한 학문을 위해서는 그것의 기초가 되는 철학적 탐구도 소홀히 하지 않았음을 잊어서는 안 됩니다. 다산을 비롯하여 이익이나 홍대용, 정약용, 그리고 최한기의 경우도 그러한 점을 발견할 수 있습니다.

—《정약용이 들려주는 경학 이야기》중에서

생각 쓰기

주요 개념 및 배경 지식

1 유가 사상

유가 사상은 공자의 사상을 계승하여 발전해 온 중국의 철학 사상을 일컫는다.

2 공자

공자는 중국 고대의 노나라 사람으로, 유가 사상의 시조로 꼽히는 사상가이다. 공자는 인간이 지향해야 할 최고의 덕목을 '인' 이라 말했고, '인' 은 사람을 사랑하는 것이라고 정의했다. 또한 정치에서도 이러한 인을 실현해야 한다고 생각했는데, 이를 공자의 '덕치주의' 라고 한다. 공자의 가르침을 담은 대표적 문헌으로는 《논어》가 전해지고 있다.

3 맹자

맹자는 중국 전국시대의 사상가로, 공자의 유가 사상을 계승하고 발전시켰다. 맹자는 특히 현실 정치에 관심을 가졌고, 일종의 도덕 정치인 왕도(王道)를 주장했다.

02강 애민 사상

case 1 정약용은 암행어사가 되어 고을을 떠돌면서 조선 사회에 심각한 문제가 있다는 것을 알게 되었다. 다음 글을 읽고 정약용이 알게 된 사회 문제는 무엇이었는지 설명하시오.

"내가 암행어사가 된 것은 내가 서른세 살 되던 1794년 10월이었다. 정조 임금님의 은밀한 명에 의해서였지. 정조 임금님은 백성들의 생활을 직접 살펴 민정을 알고 백성을 다스리라는 뜻에서 나를 암행어사로 보내셨던 거야. 전에도 말했듯이 내가 맡은 지역은 적성, 마전, 연천, 삭녕으로 가난한 백성들이 많이 살고 있는 지역이었어. 나는 은밀히 고을을 암행하면서 백성들이 어떤 생활을 하고 있는지 목격했단다.

나는 사실 양반으로 태어나 별다른 고생을 하지 않고 자랐어. 오로지 학문에만 힘쓰면 되었지. 그런데 백성들이 사는 모습을 보니 정말이지 참혹하기 이를 데 없더구나. 백성들은 그날그날의 끼니를 걱정해야 할 정도로 가난했어. 그런데 이런 백성들의 가난을 부채질하는 것이 있었으니 바로 수령과 아전들의 착취였다. 수령과 아전들은 이런저런 이유로 백성들에게 많은 세금을 내게 해서 이익을 취하고 있었지.

어마어마한 세금을 내느라 집도 잃고 땅도 잃은 백성들은 결국 고향을 떠나기도 했어. 굶어 죽는 자식을 눈앞에 두고도 아무것도 할 수 없어 발만 동동 구르는 백성도 보았다. 정말 가슴 아픈 일이었지.

나는 백성들을 괴롭히는 벼슬아치들, 즉 탐관오리들을 도저히 용서할 수 없었다. 나는 그들을 크게 벌주었어. 1794년 연천 지방을 암행할 때, 굶주리는 백성들의 처참한 모습을 보며 쓴 시가 있다. 한번 들어 보겠니?

'희희낙락 즐겁게도 태평세월 같은 모습이며, 높으신 분 그 모습은 우람하고 풍성하다. 간사한 인간들은 거짓말만 꾸며 대고, 교활한 양반들은 걱정이라며 하는 말이, 오곡이 풍성하여 흙더미처럼 쌓였는데, 농사에 게으른 자들이 스스로 굶주린다고 하네.'

백성들을 착취하면서 자신들은 희희낙락 즐겁게 지내고, 백성들이 굶주리는 까닭은 모두 그들의 게으름 때문이라고 말하는 양반들에 대해 읊은 시란다."

(……) 마음이 아프구나. (……) 내가 살고 있는 조선도 큰 개혁이 필요할 듯싶구나.

- 《정약용이 들려주는 경학 이야기》 중에서

㉮ "목민심서란 목민관 그러니깐 벼슬아치들이 지켜야 할 덕목 등을 적어 놓은 책 정도로 해석하면 되겠구나."

– 《정약용이 들려주는 경학 이야기》 중에서

㉯ 교회에서 교인들을 가르치는 사람을 목사(牧師)라고 부르는데, 바로 그 '목(牧)' 자가 여기에 근거하고 있습니다. 영어로 된 것을 번역하면서 우리가 썼던 목민의 목(牧) 자에 스승 사(師) 자를 붙여서 만든 글자입니다. 양을 치듯 가축을 돌보듯 백성들을 잘 길러야 한다는 뜻에서 목민(牧民)이라는 말을 썼고, 그런 사람들은 목민관이라 불렀습니다.

옛날에는 중앙정부의 힘이 지방에까지 고루 미칠 수 없었기 때문에 수령들은 독자적으로 그 지방의 모든 일을 처리했습니다.

즉 그 지방의 행정뿐만 아니라 사법(재판)권도 가지고 있었으며 심지어 가정의 문제까지 관여하기도 했습니다. 그러니까 수령의 권한이 막강했다고 할 수 있습니다.

그 권한을 바르게 사용하느냐 그렇지 못하느냐는 전적으로 그 수령의 개인적 인품과 능력에 달려 있었습니다. 나라의 근본인 백성들이 잘 살려면 수령들의 능력과 인품이 뛰어나야 합니다.

－《정약용이 들려주는 경학 이야기》 중에서

생각 쓰기

1 민정(民情)

민정은 백성들의 사정과 생활 형편이란 뜻을 지닌 말이다.

2 수령

수령은 고려와 조선시대에 지방의 고을을 맡아 백성을 다스리던 관리들을 통틀어 일컫는 말이다. 지방 관리의 직급으로는 절도사, 관찰사, 부윤, 목사, 부사, 현감, 현령 등이 있었다. 이들을 구별 없이 부를 때 수령이라고 했다.

3 아전

아전은 조선시대에 서울과 지방의 관아, 즉 관청에서 일하던 하급 직원들을 가리킨다.

아비투어 철학 논술

예시 답안

① 정약용은 18세기 중엽에 경기도의 마현 마을에서 태어났다.

② 정약용은 20대에 성균관에 입학했고 과거에도 급제했다.

③ 한강에 배다리를 건설하고 수원 화성을 설계했다.

④ 수원 화성을 건설할 때 거중기를 만들어 공사비와 기간을 단축시켰다.

⑤ 암행어사가 되어 탐관오리를 처벌했고, 곡산 부사로 임명되었을 때는 백성들의 사정을 잘 이해하는 훌륭한 관리였다.

⑥ 1800년 정조가 죽자 반대파들의 모함으로 18년 동안 귀양 생활을 했다.

⑦ 귀양 생활 중에 무수한 책을 썼고, 실학사상을 집대성했다.

⑧ 귀양 생활에서 풀려난 후 고향으로 돌아와 학문에 힘썼다.

⑨ 500여 권의 책을 썼고 조선시대 최고의 학자로 인정받는다.

주 제 탐 구　**01**강　경학, 경세학, 실학

case 1　경학은 유가 사상의 경전, 즉 공자나 맹자 등의 경전을 주의 깊게 따지면서 공부하는 것을 말한다. 이는 유가 사상의 경전이 지닌 참뜻을 밝혀내는 것을 목적으로 했다.

　이처럼 경전의 참뜻을 밝혀낼 때는 뛰어난 과거 학자의 경전 풀이를 참조할 수도 있고 자신이 골똘히 생각해서 그 뜻을 헤아려 볼 수도 있다. 그리고 경전은 반드시 한

가지 의미로만 해석될 수 있는 것이 아니어서, 같은 공자나 맹자의 말씀도 해석하는 사람에 따라서 뜻이 달라지기도 한다.

정약용도 경전 공부를 열심히 했다. 하지만 당대 조선에서 기준으로 통하는 해석을 무조건 따르지는 않았고 자기 나름대로 열심히 생각하고 공부해서 경전의 참뜻을 밝혀내려 애썼다. 그리고 정약용은 경전의 참뜻을 알아내면 현실 사회가 가진 많은 문제에 대한 답도 얻어 낼 수 있다고 보았다. 즉 경전 공부를 열심히 하면서 세상의 이치를 알아내면 현실 세상에서 드러나는 많은 문제들, 예를 들어 백성의 가난과 지배자의 횡포 등과 같은 문제를 풀 수 있는 방법도 알아내리라고 생각한 것이다.

case 2 위의 글에서 정약용은 경학을 통해 인간 됨됨이를 수양하고, 경세학으로 세상과 나라를 경영하고 싶었다고 말한다. 경학은 이 세상의 이치를 설명한 경서들을 공부하는 학문이다. 세상의 이치를 안다는 것은 세상 속 인간 삶의 이치를 안다는 것이다. 또한 인간 삶의 이치를 알고 그 이치대로 살려고 노력하는 것은 인격 수양이라 불릴 수 있다.

그런데 인간은 홀로 사는 것이 아니라 다른 인간과 더불어 살기에 올바른 인격 수양은 다른 인간의 삶에 무관할 수밖에 없다. 따라서 경학 공부를 통한 인격 수양은 나를 비롯한 모든 인간의 삶을 더 낫게 만들려는 노력이 되어야 한다.

그런데 경학은 구체적인 문제 해결과 직접 연관된 학문은 아니다. 경학을 통해서 우리는 예를 들어 '세상의 모든 존재는 소중하다'는 사실을 배울 수 있다. 물론 이것도 현실과 전혀 무관한 배움은 아니다. 이런 배움에서 우리는 '현실 세상에서 왜 많은 존재가 고통을 겪고 있을까? 라는 문제의식을 가질 수 있고, 또 '현실에서 모든 존재가 행복하지 못한 것은 어떠어떠한 이유 때문이다'라는 깨달음을 얻을 수도 있기 때문이다. 그렇지만 경학은 아직은 이론적인 차원에 머문다.

경세학은 경학을 통해 얻은 배움을 현실에서 실천하려는 학문이다. 예를 들어 조선이란 나라에서 대부분의 백성이 가난에 시달린다면, 이 가난을 몰아낼 구체적 방안을 연구하는 것이 경세학이다. 이처럼 경세학은 경학 연구에서 터득한 이치를 우리 현실에서 실현시킬 수 있는 방안을 연구하는 학문이다.

case 3 실학은 조선 말기에 일어났던 학문을 가리키는 말이다. 실학은 말 그대로 실제 생활에 필요한 학문, 실생활에 활용할 수 있는 학문을 말한다. 실학은 실사구시, 즉 '실제의 일에서 옳음을 구한다'를 표어로 내세웠는데, 이는 과거의 학문이 '실제의 일이 아닌 것에서 옳음을 구했다'는 비판을 담고 있다. 즉 그 이전의 학문은 백성들의 실생활이나 국가 운영에 구체적 도움을 주지 못했다는 것이다. 그리고 이런 비판은 백성들의 굶주림은 외면한 채 출세나 예의 등에만 관심을 기울였던 많은 성리학자들을 겨냥한 것이었다. 실학을 연구했던 사람들을 실학자라고 하며, 이런 사람으로는 정약용 외에 홍대용이나 최한기 같은 사람이 있었다. 그리고 실학자들은 농업 분야의 개선에 주된 관심을 기울였던 사람들과 상공업의 활성화에 더 관심을 기울였던 사람들로 나뉜다.

case 1
암행어사 정약용이 여러 고을을 돌아다니면서 알게 된 조선 사회의 근본적 문제는 크게 두 가지였다. 먼저, 백성들이 참혹할 만큼 빈곤한 삶을 산다는 것이었다. 백성들은 하루하루 연명하는 것이 어려울 만큼 가난했다. 심지어 자식을 굶겨 죽일 수밖에 없는 처지에 놓여 있는 백성도 있었다. 그리고 백성의 가난을 부채질하는 것은 지방의 관리들, 즉 수령과 아전들이었다. 이런 벼슬아치들은 자신들의 부귀를 위해서 백성들을 속이고 많은 세금을 거둬들였던 것이다. 더욱이 벼슬아치들은 백성들의 가난이 백성들 자신의 게으름 탓으로 돌리는 뻔뻔스러움까지 보여 주었다. 정약용은 이런 사회 현실을 개탄하는 시를 쓰기도 했다. 그리고 암행어사 시절에는 탐관오리들을 크게 벌주었다.

case 2
목민은 백성을 돌보고 인도하는 것을 뜻하며, 목민관은 목민을 행하는 관리, 즉 벼슬아치를 말한다. 목민심서는 '백성을 다스릴 때 마음으로부터 지켜야 하는 덕목을 적어 놓은 책'이다.

정약용이 이런 책을 쓴 것은 조선 사회의 대부분을 이루는 백성들이 좀 더 나은 삶을 살기를 바라는 마음에서였다. 벼슬아치가 읽을 책을 쓴 것이 백성들을 위해서였다는 것은, 조선 사회에서는 백성들의 삶이 벼슬아치들의 마음가짐이나 태도에 의해 좌우되기 때문이었다.

조선에서는 중앙정부의 왕과 관리가 먼 지방까지 다스릴 수 없었기 때문에 서울 바깥으로는 수령이란 지방 관리들을 파견했다. 이런 수령들은 나라의 임금을 대신해서 백성을 다스리는 것이었기 때문에 막강한 권력을 갖고 있었다. 따라서 수령이 마음만 먹으면 얼마든지 백성을 못살게 굴 수도 있었다.

정약용은 이런 현실이 바뀌기를 희망했다. 그래서 현실 정치 제도의 문제점을 개선할 수 있는 다양한 방안을 생각해 냈다. 그러나 제도는 하루아침에 바꿀 수 있는 것이 아니다. 그래서 정약용은 우선 수령들로 하여금 올바른 마음가짐을 갖게 하여 백성들의 삶을 편하게 해 주는 것이 중요하다고 보았다. 이는 목민심서를 쓰게 된 동기가 된다.

논술 답안 쓰기

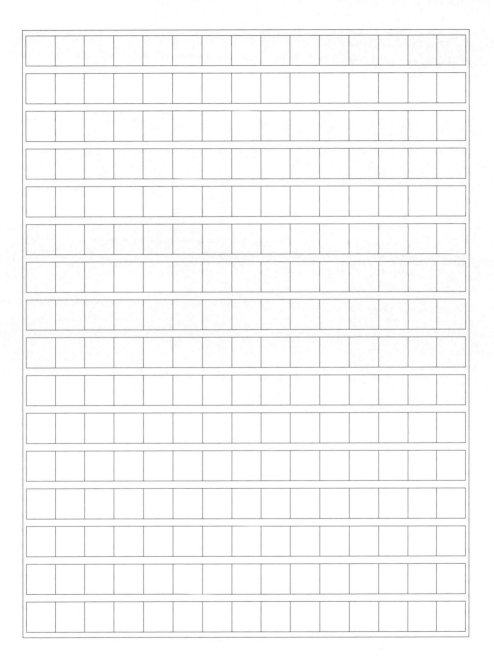

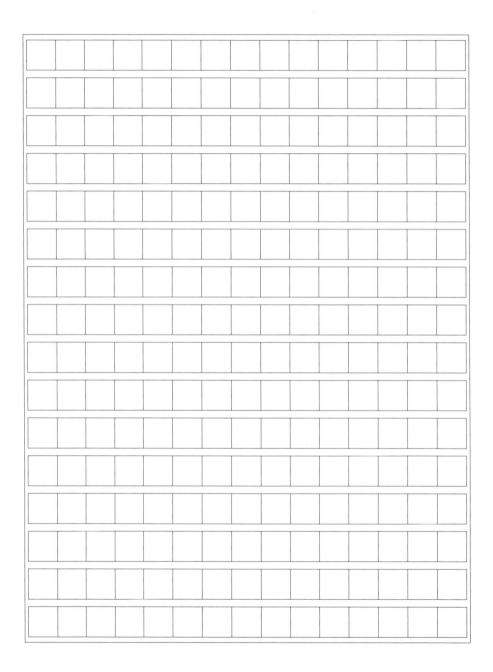

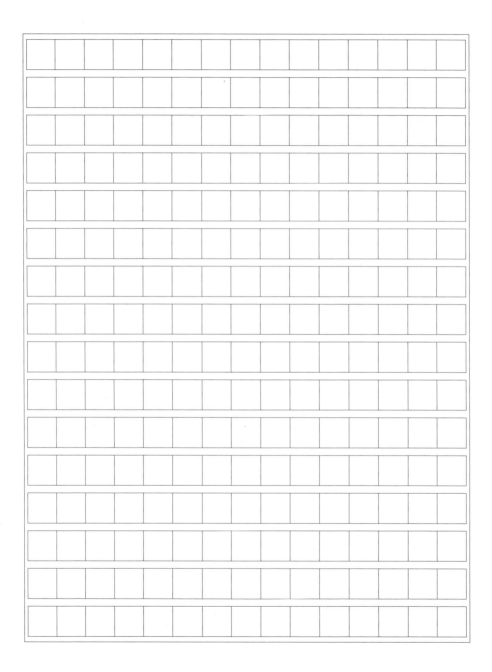